图书在版编目(CIP)数据

中华人民共和国个人独资企业法释义 / 卞耀武主编.
-- 北京 : 法律出版社, 1999(2018.11 重印)
(法律释义丛书)
ISBN 978-7-5036-3018-7

Ⅰ. ①中… Ⅱ. ①卞… Ⅲ. ①独资经营-企业法-法律解释-中国 Ⅳ. ①D922.292.5

中国版本图书馆 CIP 数据核字(1999)第 71506 号

中华人民共和国个人独资企业法释义
ZHONGHUA RENMIN GONGHEGUO GEREN DUZI QIYEFA SHIYI

卞耀武 主编

责任编辑 麦 锐
装帧设计 李 瞻

编辑统筹 法规出版分社
出版 法律出版社
开本 850 毫米×1168 毫米 1/32
总发行 中国法律图书有限公司
印张 7.375
经销 新华书店
字数 160 千
印刷 北京玺诚印务有限公司
版本 2000 年 1 月第 1 版
责任印制 吕亚莉
印次 2018 年 11 月第 3 次印刷

法律出版社/北京市丰台区莲花池西里 7 号(100073)
网址/www.lawpress.com.cn
投稿邮箱/info@lawpress.com.cn
销售热线/010-83938336
举报维权邮箱/jbwq@lawpress.com.cn
咨询电话/010-63939796

中国法律图书有限公司/北京市丰台区莲花池西里 7 号(100073)
全国各地中法图分、子公司销售电话:
统一销售客服/400-660-6393
第一法律书店/010-83938334/8335 西安分公司/029-85330678 重庆分公司/023-67453036
上海分公司/021-62071639/1636 深圳分公司/0755-83072995

书号:ISBN 978-7-5036-3018-7 **定价:**36.00 元
(如有缺页或倒装,中国法律图书有限公司负责退换)

中华人民共和国法律释义丛书

全国人民代表大会常务委员会法制工作委员会　编

中华人民共和国
个人独资企业法释义

主　编：卞耀武（全国人大常委会法制工作委员会副主任）

副主编：何永坚（全国人大常委会法制工作委员会经济法室助理巡视员）

田燕苗（全国人大常委会法制工作委员会经济法室副处长）

撰稿人：卞耀武　何永坚　田燕苗　王　清　王　柏　李建国　杨合庆

法律出版社

总　　序

人类文明的历史上，还没有哪一个时代像中国的改革开放40年一样，在历史长河中掀起如此巨大的浪花——它不仅深刻改变了一个国家的面貌与精神气质、使数亿人摆脱贫困，还极大地改变了世界格局。

1978，在那一年的年底，中共中央一次全体会议——十一届三中全会扭转了中国的前进方向，开辟了一个时代。回首过去，我们发现，一些观念从那时开始在中国出现，一些声音从那时开始逐渐响起，一些人物开始登上历史舞台。从这一年开始，随着“加强社会主义民主，健全社会主义法制”历史性任务的提出，“法制”两个字进入了人们的视野；政法机关开始恢复重建；法律院系开始蓬勃发展。一部部法律从庙堂走进了人们的生活，一次次裁决推动着国家前进的脚步。从“有法可依、有法必依、执法必严、违法必究”到“科学立法、严格执法、公正司法、全民守法”；从“法制”到“法治”；从法治观念的形成到“依法治国，建设社会主义法治国家”写进宪法，再到“法治国家、法治政府、法治社会一体建设”，人们对法治的认识步步深入，中国的改革不断向前推进，结出丰硕的果实。在中国共产党的带领下，这个励精图治的古老国度，再一次创造了改革的奇迹。

40年发生了无数故事,40年产生了许多事物。为了纪念这难忘的40年,本社组织编辑出版了一批"纪念改革开放40周年"主题图书。这些图书,将40年来颁布的重要法律及其释义甄选汇集,将法学领域有代表性的学术论文萃取精编,把有关政法机关的重建、法律院系的重生与发展进行展现,将一批被时代改变命运的人物再次唤起。我们希望从法律与法律人的视角,重新审视过去的40年,认真体会这不平凡的40年。

如江河东下,逝者如斯。岁月总会过去,人事总有代谢,但一个不平凡的时代留下的深刻痕迹,永远不会磨灭。"不忘初心,牢记使命",习近平总书记在党的十九大报告中向全党发出的号召,使我们有理由期待,下一个40年,中国将更加惊艳!

法律出版社编辑委员会

2018年10月

出 版 前 言

《中华人民共和国法律释义丛书》是由全国人大常委会法制工作委员会主持组织编辑的一套系列丛书。

该套丛书由一系列法律释义组成。邀请有关专家、学者和部分参与立法的同志编著。该丛书坚持以准确地反映立法宗旨和法律条款内容为最基本要求,在每部法律释义中努力做到观点的权威性和内容解释的准确性。

我们相信,该套丛书的陆续出版,将会给广大读者进一步学好法律提供有益的帮助。

重印说明

本次重印，是为改革开放40周年制作的特别纪念版，为了保持内容原貌，未对正文和附录作实质修改。个别法条内容有修订或修正的，以脚注形式作了标注。特此说明。

2018年10月

目　录

第一部分　绪　论

个人独资企业的基本规范和法律保障 … 卞耀武（ 1 ）

第二部分　释　义

第一章　总　则 ………………………………（ 23 ）
第二章　个人独资企业的设立 …………………（ 45 ）
第三章　个人独资企业的投资人及事务管理 …（ 62 ）
第四章　个人独资企业的解散和清算 …………（ 88 ）
第五章　法律责任 ………………………………（103）
第六章　附　则 …………………………………（137）

第三部分　附　录

附录一：

中华人民共和国个人独资企业法 ………………（141）
全国人大财政经济委员会关于提请审议《中华人民共和国独资企业法（草案）》的议案…………（149）
关于《中华人民共和国独资企业法（草案）》的说明 ……………………………………………（150）
中华人民共和国独资企业法（草案） ……………（157）
全国人大法律委员会关于《中华人民共和国独

资企业法(草案)》修改情况的汇报…………… (165)
中华人民共和国个人独资企业法(草案二次审议稿)……………………………………………… (170)
全国人大法律委员会关于《中华人民共和国个人独资企业法(草案)》审议结果的报告……… (178)
中华人民共和国个人独资企业法(草案三次审议稿)……………………………………………… (181)
关于个人独资企业法(草案三次审议稿)和招标投标法(草案三次审议稿)修改意见的报告(节录) …………………………………………… (189)
附录二:
九届全国人大常委会第九次会议分组审议独资企业法(草案)的意见 ………………………… (192)
九届全国人大常委会第十次会议分组审议个人独资企业法(草案二次审议稿)的意见 ……… (197)
九届全国人大常委会第十一次会议分组审议个人独资企业法(草案三次审议稿)的意见 …… (202)
中央有关部门和专家对独资企业法(草案)的意见 …………………………………………… (205)
各地方和中央有关部门对独资企业法(草案)的意见 ………………………………………… (213)
青岛市有关部门和一些独资企业投资人对独资企业法(草案)的意见 ………………………… (222)

第一部分　绪　　论

个人独资企业的基本规范和法律保障

卞耀武

《中华人民共和国个人独资企业法》于1999年8月30日由第九届全国人民代表大会常务委员会第十一次会议通过，并于2000年1月1日起实施。对这部重要的经济法律在表决通过时，共有常委会组成人员132人参加表决，其中124人赞成，2人反对，6人弃权。

个人独资企业法是一部什么样的法律；它的立法依据是什么；在企业立法中它的特点以及与其他企业形式的比较；个人独资企业的设立与其事务管理；对个人独资企业合法权益的保护；个人独资企业的社会责任和对其职工权益的维护；个人独资企业的解散和清算等问题，都需要根据立法内容进行分析阐述，以有助于掌握、运用这部法律，本文即以此为目的进行介绍和论述。

一、个人独资企业法的立法依据

这就是为什么要制定个人独资企业法的问题，或者说，为什么要以个人独资企业作为调整对象来制定这部法律，在什么样的理论基础上作立法考虑的。

对于这个问题，首先需要确认的重要事实是，在现代的社会经济生活中，有一大批的企业存在着，并且在广泛的领域中活动，这些企业采取了三种基本形式，即公司企业、合伙企业、个人独资企业。这里已经清楚地表明，企业存在着三种基本形式，个人独资企业为其中的一种，这就是个人独资企业法的立法依据，也相应地形成了个人独资企业法立法的理论基础。

企业划分为三种基本形式，或称为三种基本形态、三种类型，在国外是比较普遍的做法，他们认为这是反映企业实际状况的，是科学的、合理的。我在 1994 年写作的《公司法的理论与实务》一书中曾写道，从历史上考察，企业的组织形式有三大类，一类是独资企业，又称之为业主企业；第二类是合伙形式，又称之为合伙企业；第三类是公司形式；这三种基本形式的出现和发挥作用，实际上是一个伴随着社会经济发展的企业组织形式的进步过程；当然，这三种形式的企业，各有其产生和存在的客观条件，是一个接一个的向前发展，但又不是一个完全代替另外一个，即使在公司形式被普遍采用的同时，独资形式、合伙形式仍然有各自的作用，并仍然大量存在。在现代经济中，三种形式的企业同时存在，这是一个客观的事实，关于企业的立法活动正是在这个客观事实的基础上进行考虑和实施的。

八届全国人大常委会制定立法规划时，在其规范市场主体的法律中，确定要分别制定公司法、合伙企业法、独资企业法，这就是考虑了中国的企业存在三种基本形式，并需要分别立法予以规范。在九届全国人大立法规划中，鉴于公司法、合伙企业法已经制定，而将独资企业法继续纳入规划，这就表明企业存在三种基本形式的事实没有变化，仍然需要以此为基础完善企业立法，制定个人独资企业法是必要的。

上面就个人独资企业法立法的基本依据作了叙述，下面就其涉及的一些观念和情况作简要介绍。

1. 有人提到个人独资企业算不算企业

这就涉及如何理解企业这个概念的问题。可以说,在现今的社会经济生活中,人们不断地接触到企业,也承认企业的普遍存在,但是企业是什么,却是众说纷纭,各有不同的理解:比如,有人认为企业就是企求达成自己某种目的和同时满足他人需要的事业;有人认为企业是谋取利润的经济组织;有人认为企业是作为生产单位而设立的;有人认为企业是具有法人资格的社会经济组织;有人认为企业是一种代替市场来协调生产的组织,此外,还有若干不同的见解。由于对企业这个概念存在着理解上的差异,也由于在某一个特定时期对企业这个概念的有限制地使用,也会对人们的观念产生影响,从而产生个人独资企业是否可以称作企业的疑虑。并且这种疑虑在中国的相当一部分人中是存在的,需要适当说明。

对于企业这个概念的理解,一般地说,应当是从事生产经营活动的实体,它作为社会的基本经济单位独立存在,有自己的财产和独立的利益,从事生产经营的目的是为了营利,它在市场中,就是一个市场主体,根据一定的条件和程序登记设立,内部管理有一定的规范。可以说,这些都是企业的一般特征。而对于这个企业是由一个人投资还是由许多人投资;是规模比较大还是规模小;企业的投资人对企业的债务承担有限责任还是承担无限责任;企业是属于什么所有制的;企业是从事生产的还是从事商业服务的或者兼而有之的,等等,这些都不是认定企业的标准,也就是不属于企业的基本特征,而属于是企业形式、企业规模、企业经济性质、企业经营范围的问题。根据这种理解和分析,个人独资企业应当是一种企业,它具有企业的特征,并且作为一种企业形式还有自己的特点,这将在本文的后面内容中作具体分析。

2. 有关企业三种基本形式的立法实践

在中国,长期以来对企业的立法是以所有制的划分为基础的,比如,制定的中华人民共和国全民所有制工业企业法,就是以国有工业企业为调整对象的;制定的中华人民共和国企业破产法就是只适用于全民所有制企业;又比如,制定的中华人民共和国乡村集体所有制企业条例和城镇集体所有制企业条例,都是以集体所有制为基础来规范企业活动的;在 1988 年制定了中华人民共和国私营企业暂行条例,是以私营企业为对象来进行规范的。这种根据所有制来立法规范企业的状况,直到 1993 年制定中华人民共和国公司法时才被突破。公司法不是以所有制为基础而是以企业的投资形式、责任形式为划分标准来规范企业的,这是按照企业的基本形式制定的第一部法律;1997 年又制定了中华人民共和国合伙企业法,这是按照企业基本形式制定的第二部法律。这样,在企业的三种基本形式中,唯有对个人独资企业尚未立法,因而制定个人独资企业法便成为完善企业立法的一种实际需要,是继续完成按企业基本形式健全立法的必然要求。

3. 国外独资企业的一些情况

在许多国家中都存在着企业的三种基本形式,甚至可以说这在世界上是一个较为普遍的现象。在美国萨缪尔森和诺德豪斯合著的经济学一书中写道,在 80 年代,美国存在着 1600 多万个企业单位;其中大部分是非常微小的单位,它为一个人所有,即单人业主制;一些是合伙制,较大的企业趋于采用公司的形式。在德国的法律中,商人可以是个人企业,也可以是由多个主体联合组成的商事合伙或公司;个人企业即单个自然人出资的独资企业,由德国商法典对其进行调整,在 1986 年,德国独资企业占其企业总数的 76%。日本的企业组织形式,包括个人企业和法人企业两大类,个人企业又称独资企业,在日本有关中小企业的法律中,所指的企业中包括公司也包括个人的经营。在法国商法典中,商人是以从事商事活动并以其作为经常性职业的人。商人的身份中又分为自然人商人和法人商人。一个自然人以个人的名义从事商事活动并以此作为其经常性职业，经过商事登记，这就形成了一个独资企业。在许多国家，尽管用不同的表述方式来确立企业的三种基本形式，但是都表明了这三种基本形式确实在现实中存在着，并且在法律中得到了确认，有了一定的法律地位。

二、个人独资企业的基本特点以及与公司、合伙企业的比较分析

个人独资企业的基本特点或者说是它的主要特征，在个人独资企业法的第二条中作出了规定，就是依法设立的，由一个自然人投资，财产为投资人个人所有，投资人以其个人财产对企业债务承担无限责任的经营实体。这项规定的内容，将在下面进行分析，以便于使人们能客观地认识个人独资企业的优势及其不足，并进而引申出对个人独资企业作用的一些评价。当然，要对这种企业形式作出分析评价，还需要将其与合伙、公司这两种形式加以比较，分析它们各自存在与发展的背景，各自的优势与受到的限制，现实经济生活对它们的要求。

（一）个人独资企业的基本特点

这种特点也就是个人独资企业区别于其他企业形式的关键所在，或称区别性。

1. 个人独资企业是由一个自然人投资的企业。它的特点表现在投资主体和投资形式上，对投资主体的要求为必须是自然人。所谓自然人，这是一个法律上的概念，在法律上，将人分成两类，一类是自然人，是基于自然界中的人；另一类是法律人，是法律拟制的人。自然人是有生命的人，法人则是一种团体，是法律赋予其人格的团体人。对自然人，重要的分类是成年人和未成年人，正常人与精神病人。在中国的法律上，将自然人称为公民，民法通则中规定，公民从出生时起到死亡时止，具有民事权利能力，依法享有民事权利，承担民事义务；公民的民事权利能力一律平等；公民的行为能力则依据对自然人的分类，区分为完全民事行为能力人、限制

民事行为能力人、无民事行为能力人。从法理上讲，自然人参加民事法律关系活动，以具有权利能力作为前提，在自己为法律行为时，还应当具有行为能力。在个人独资企业法中，作为投资主体的必须是法律意义上的自然人。对于投资形式的要求为只能是一个自然人的投资，只有一个人的投资才能称得上是独资，两个以上的人进行投资，显而易见就不是一种单独的投资，不属于独资的形式。所以限于是自然人，同时又是一个自然人投资创立的，这就是个人独资企业的显著特征，或者说是决定其本质属性的特征。

2. 个人独资企业的财产为投资人个人所有。这个特点是由前一个特点所决定的。在市场经济中所通行的谁投资、谁所有的原则，在个人独资企业法中同样适用，个人独资企业只有一个自然人作为投资人，也就是个人独资企业的财产只来源于这个投资人的投资，因此，这个企业的财产应当归属于这个投资人所有。而这个投资人，只是一个个人，他所作的投资是其个人财产，并不涉及他个人以外的财产，并不出现投资人以外的另一个个人作为投资主体，所以个人独资企业的财产仅为投资人个人所有，这是个人独资企业的基本特点。这个特点反映了个人独资企业的基本财产关系。个人独资企业法所确立的这种财产关系，也是宪法原则的体现，在我国宪法中明确规定，国家保护公民的合法的收入、储蓄、房屋和其他合法财产的所有权；民法通则规定，财产所有权是指所有人依法对自己的财产享有占有、使用、收益和处分的权利。这里，依据宪法的原则确立了个人独资企业投资人所享有的财产所有权，从而也确定了个人独资企业投资人对所投资企业的财产享有的占有、使用、收益和处分的权利。或者说，个人独资企业投资人对所投资企业的财产，与其个人的财产并无实质上的区别，个人独资企业的经营成果概归其个人所得，一个企业完全为一个人所拥有，它的全部财产权利归属于一个人。

3. 个人独资企业的投资人以其个人财产对企业债务承担无

限责任。这是个人独资企业的一个重要特点，它表现在责任形式上，就是个人独资企业的投资人作为债务人，要以其全部个人财产对其所投资的个人独资企业债务承担责任。所以采取这种责任形式，根本原因在于个人独资企业为其投资人一人所拥有，收益为其个人所得，企业的风险、企业的债务均应由其个人承担；并且由于个人独资企业的财产与其投资人的个人财产是不可分离的，企业如果负有债务，投资人的个人财产也同样作为偿付债务的标的，或者说，个人独资企业的投资人，用于投资在个人独资企业的财产和其他个人财产，都一起构成了清偿企业债务的基础，作为清偿债务的保证。关于无限责任，在这部法律的审议过程中，曾有人担心投资人的全部个人财产不足以清偿全部债务时，是否个人的生活资料都一无所有了，这种担心是不必要的，在那种情况下，清偿债务和个人的生活条件都会依法处置的；还有的人提及，无限责任是否意味着无限期地以个人收入清偿债务，应当说，这种无限责任的实质是以其个人全部财产清偿债务，个人财产是不断变化的，应当以当时个人所实际拥有的财产为界限，一般不应当将个人在今后仅仅是可能有的收入计算在内，这样比较合理。

4. 个人独资企业是一个经营实体。这是个人独资企业作为企业而言的一个特点，也是对个人独资企业的一项基本要求。个人独资企业必须是一个实际存在的从事生产经营的单位，是能够实际享有权利和承担责任的主体，而不能是一个虚构的市场主体，不能是一个既不能拥有权利又不能承担责任的空洞的名义。个人独资企业只有成为经营实体，才有存在的价值，在市场中发挥作用，也才能有独立的利益，履行应尽的义务，成为权利义务主体。个人独资企业如何成为经营实体，在其设立条件中作了相应的规定，并在个人独资企业法第三十六条中专门规定，个人独资企业成立后无正当理由超过六个月未开业的，或者开业后自行停业连续六个月以上的，吊销营业执照。这项规定的目的是，个人独资企业在设立时必须是一个经营实体,而在成立后也必须持续地作为一个经营实体存在,不能名存实亡,成为一个虚置的名称。

(二)个人独资企业的优势及其局限性

个人独资企业的基本特点,决定了这种企业形式的优势,也决定了它的局限性。个人独资企业历史悠久,几千年前它已经存在,在历史上,农业、商业、手工业、渔业、家庭作坊等多数采用这种形式。一般地说,它的优势在于:

(1)个人投资,设立容易。因为是一个人投资,个人决策即可设立,无须与其他人在一起按照议事程序制定章程,申请、登记也比较简便。

(2)规模较小,灵活多样。个人独资企业为一人出资,一般都规模较小,或者说,绝大多数是小规模的经营,能适应市场迅速多样的变化,以多样化的经营适应市场多样的需要。

(3)个人经营,效率较高。个人独资企业往往是所有者与经营者集于一体,业主自行决定经营事项,效率高、行动快,这种运营方式使个人独资企业更易于贴近市场,更富于竞争力。

(4)吸纳劳动力,扩大就业。个人独资企业点多、面广、数量大,可以吸纳一大批人就业,服务于社会,也为自己谋利。截止1998年底,全国共有个体工商业户3120.2万户,从业人员6114.4万人;还有在企业登记系统登记的由个人投资的独资企业44.17万户,也有数百万的从业人员,这两项数字中将有相当大的一部分按个人独资企业法的规定转变为个人独资企业,那将是一个很可观的从业人数。在今后,也会有一批人采用个人独资企业这种形式进行就业。

(5)有利于扩大社会投资。举办个人独资企业,从事生产经营,就是将社会闲散资金转入投资领域,这种投资的数额会随着个人独资企业所发挥的作用和企业素质的提高而有所变化。

(6)有利于适应产品、服务创新的需要。个人独资企业规模小,又比较灵活,在市场竞争中以创新求生存,用创新来满足社会的多样化需要,争取市场空间;同时,现代科学技术的发展,现代生产工具日趋小型化,也使个人独资企业这种企业形式在产品和服务方面增添了发展的机会,这对国民经济发展也同样是需要的。

上面是从个人独资企业的优势方面进行的分析,与此同时也应当注意到个人独资企业的一些局限性:

(1)在经营管理知识和能力上的局限性。个人独资企业的所有权及经营管理权都集中在投资人一人身上,往往是企业的进退受这个人的知识与能力的状况影响很大;同时也要看到,个人的精力、经验都是有限制的,这种限制也会影响到企业。

(2)经营规模上的限制。个人独资企业由一个自然人投资,个人的资金在大多数情况下是有限的,这就影响了企业的规模,即使个别人资金雄厚,可以充实资金,但在企业形式的选择上又会限制了这种投资的积极性。

(3)投资人承担无限责任。这对维护个人独资企业的信誉和保护债权人的利益是有利的,但它是一种严格的责任,使投资人的个人财产都与企业的风险联系在一起;因而也会有另一种情况,就是投资人在一定的条件下不愿使自己的个人财产都承担这么大的风险,所以有的就采取了公司形式分散风险、限制风险,从而不愿使个人独资企业有更大的规模,使风险集于自己一身。在立法过程中,有的意见认为个人独资企业会是大规模的,为数还不会少;这只能是一种推测,即使有也会是个别的,因为个人独资企业规模的取舍,并不是一种个人的愿望,而是受这种企业形式的财产责任制度制约,投资人会从自己的利益出发来考虑如何选择。

(4)个人独资企业还有一种局限性,就是其存续时间与投资人的状况联系紧密,投资人可以自行决定终止其经营,也可能由于投资人健康不良而停业,或者出于投资人的其他原因关闭,这种不稳定性是存在的。

个人独资企业作为一种法定的企业形式，有其优势也有其局限性，但在我国是要发展的，因为它在社会经济生活中是不可缺少的，它对生产力的发展和人民生活是有益的。党的十五大指出，公有制为主体、多种所有制经济共同发展，是我国社会主义初级阶段的一项基本经济制度；非公有制经济是我国社会主义市场经济的重要组成部分；对个体、私营等非公有制经济要继续鼓励、引导，使之健康发展。在党的十五届三中全会关于农业和农村工作若干重大问题的决定中又指出，在积极发展公有制经济的同时，采取灵活有效的政策措施，鼓励和引导农村个体、私营等非公有制经济有更大的发展。这里所指的个体经济，毫无疑问是包括个人独资企业的，这种企业有时被称为业主企业、个人企业、个体企业，是个体经济中的重要组成部分，也是个体经济的重要组织形式。

（三）与合伙企业比较

合伙企业是企业的三种基本形式中的一种，它的主要特征在许多国家中是基本一致的，在我国的合伙企业法中也有明确的表述，即：合伙企业是依照合伙企业法设立的由各合伙人订立合伙协议，共同出资、合伙经营、共享收益、共担风险，并对合伙企业债务承担无限连带责任的营利性组织。根据这个法律上的定义并结合实际情况，可以与个人独资企业作如下几方面的比较：

1. 合伙企业由各合伙人组成。也就是合伙企业不是单个人的行为，而是多个自然人的联合，或者说是两个以上的自然人的联合经营。而个人独资企业只能是一个人的行为，由一个自然人进行投资。

2. 合伙人订立合伙协议。这是合伙人凭以建立合伙关系，使合伙企业得以设立的前提，而个人独资企业无须有这种行为，因为个人独资企业是单个自然人的行为，不需要有与其他人的联合的协议。

3. 合伙企业是由各合伙人共同出资的，也是作为取得合伙人资格的必要条件。而个人独资企业的投资人则是个人单独出资，并不是两个人以上的共同出资行为。

4. 合伙企业由合伙人共同经营。合伙企业是由合伙人聚合形成的，以相互信赖、共同出资为基础，合伙人直接参与经营，在经营中具有相同的地位、相同的权利、相同的责任。而个人独资企业是由业主独自经营，独自负责，不像合伙企业法中要确立那么多的共同经营的法律规范。业主个人独自经营，自行作出决策，效率较高，而合伙人共同经营，则经营力量增强，经验上互相补充。

5. 合伙人对合伙企业债务承担无限连带责任，这是因为合伙企业是以合伙人个人财产为基础设立的，在共同经营中也要求共担风险，要求各合伙人用其个人财产来共同承担合伙企业的债务责任；合伙企业的利润和亏损，由合伙人依照合伙协议约定的比例分配和分担，合伙协议未约定的，则平均分配或分担。而个人独资企业由于是一个人投资，只是投资人承担无限责任，而不是承担无限连带责任。所谓无限连带责任，就是对于合伙企业的债务，当合伙企业财产不足清偿时，则每个合伙人对于不足的数额，都有全部清偿的责任。当然在合伙人之间，由于承担连带责任，所清偿数额超过某个合伙人应当承担的数额时，有权向其他合伙人追偿。对于个人独资企业投资人，无限责任是集中于其一人，但不承担由于连带责任带来的风险。

6. 合伙企业由各合伙人共享收益，而个人独资企业则是由其投资人独自享有经营成果，与这种情况相适应的是，合伙企业由合伙人共担风险，而个人独资企业投资人是独自承担风险。

从上述比较分析来看，个人独资企业和合伙企业这两种企业形式，既有联系又有区别。它们都是以自然人为基础建立的，并不具有法人资格，但是一种是自然人独自的行为，一种是自然人的联合；都承担无限责任，但又有所不同；在经营、收益归属上都有差异。在现实的经济生活中，个人独资企业比合伙企业更普遍地存在，而它们之间也在互相转换着，个人独资企业设立后，如果经营成功，想进一步扩大规模，注入资金，增加经营力量，就有可能与人联合，变成合伙企业；也有可能是个人独资企业经营不善，遇到了困难，需要有别人的合作，补充资金，共同经营，这种情况下也会产生合伙企业；当然，合伙企业的合伙人由于想个人单独发展，或者合伙人之间不愿继续联合下去，或者有些合伙人转换经营方向等原因，也都有可能转变成个人独资企业。这种转变实质上是根据投资的意愿和实现经营目的需要在选择更适合的企业形式，对于这些，应当作具体的分析，不应简单地说谁优谁劣。

（四）与公司形式比较

公司形式的出现是近几百年的事情，在此之前，市场上出现的大部分是个体的经营和合伙的经营，公司出现之后，就迅速成为一种普遍采用的企业形式，尤其是在大型企业中。产生这种变化的根源在于社会化大生产的发展，科学技术的进步，市场规模的扩大，人们需要寻求更能适应这种经济环境的财产组织形式，或者说在企业形式方面作出了新的探索，并取得了成功，因此，在现代经济中存在着为现实经济生活所同时需要的企业的三种基本形式。并且基本格局是，从数量上来说，个人独资企业、合伙企业这两种形式占绝对优势，而从经济力量上来说，公司这种形式又占关键地位。

公司形式的基本特点，也就是它与个人独资企业、合伙企业的重要区别，主要为：

1. 公司是资本的联合。这是适应社会化大生产必须积聚和投入大量的、长期的资金的需要，开辟广阔的投资渠道，吸引大批的投资人，而个人独资企业只有一个投资人，是个人的投资，并不是资本的联合。

2. 公司是企业法人。公司是一批投资人的资本联合，它是一个团体人，法律赋予它人格，即人格化了的团体，因此具有法人资格，而个人独资企业为一个自然人所有，不具备法人资格。

3. 公司的投资人对公司债务承担有限责任。这种责任形式使投资人所承担的风险只限于所投资的那一部分,不涉及投资人的其他个人财产,因为投资人的投资部分和其他个人财产是可以分离的,而个人独资企业投资人的投资与其个人财产是不分离的,承担的是无限责任。

4. 公司的经营成果按投资的份额分配。它是在资本联合的基础上,共享经营成果,而个人独资企业为个人出资、个人享有经营所得,这种分配原则也是个人设立独资企业的一个重要原因。

5. 公司的组织化程度较高,实行规范化的管理。公司是一个法人组织,因此要设立法定的机构,建立规范化水平较高的管理制度,以维护投资人的利益,保证公司机制的运营,而个人独资企业由于只有一个投资人,规模又比较小,因而对其要求与对公司的要求是不同的,比较简便易行。

公司与个人独资企业,是各具特点的两种企业形式,它们的名称即标示着不同的企业内涵,对内对外关系都有不同的规则,在立法过程中,有人主张个人独资企业也要称作公司,这是未能弄清这两种企业形式的本质属性,如果名称不加以区别,极容易引起混淆,并不利于维护市场秩序。有人认为国外有一人公司,它就是个人独资企业,这也是不准确的,一人公司的产生有一定的条件,还不能简单地等同于个人企业。

从以上的分析比较,可以说企业的三种基本形式,各有其产生的历史背景和经济环境,各有其现实的需要,因此在现代经济中是同时存在的,并不能相互替代,或者说也不是那种推陈出新的模式。公司、合伙企业不能代替个人独资企业的作用,个人独资企业仍然为社会经济生活所不可缺少。因为,以个人投资创立一些小型企业的需要,社会中多个领域对这些企业所提供产品和服务的需要,都是一种客观的需要,都为个人独资企业留有生存和发展的空间。国家鼓励、引导个体经济健康发展的方针是正确的。

三、个人独资企业设立的条件和程序

个人独资企业的设立条件反映了个人独资企业这种形式的本质属性,个人独资企业法除了作出具体规定外,还对有关的一些事项和程序也作出了规定。下面对个人独资企业的设立条件作简要分析:

1. 投资人为一个自然人

这是设立个人独资企业的最重要的条件,限定其投资人只能是一个人并且必须是自然人。如果投资人是两个或两个以上,那便是共同投资,而不是独资;如果投资人不是自然人而是法人,那也不是个人投资,而是团体人派生出来的投资;即使一个法人独资设立的,那样也难以算作是个人独资。

在现实生活中有一种特定的情况,就是有不少的家庭,尤其是夫妻之间,财产并没有分割,而是共同所有。在此情况下,如果设立个人独资企业,法律将允许以家庭共有财产作为个人出资,但需在申请企业设立登记时予以明确,这样在承担企业的债务责任时,有明确的界定。在立法的过程中,有的意见不愿考虑这种特定情况,或者认为这与个人独资有矛盾,而只有纯粹的个人财产才行。对于这种情况,法律规定应当面对现实,不应绕开实际问题,所以在个人独资企业法中作出了相适应的规定;至于家庭共有财产作为个人出资,是否会产生矛盾,这是不会的,因为在设立个人独资企业的过程中始终只出现一个投资主体,并不出现两个自然人。至于这个投资人用作投资的财产来源,在个人独资企业法中则未作规定,并未禁止以其家庭共有财产作为个人投资,在中国以家庭共有财产作为背景开办个人独资企业的情况将不会是个别的,关键是只能以一个自然人的名义投资,并明确有关的法律关系。

2. 有合法的企业名称

个人独资企业是一个经营实体,应当有自己的称呼,就是企业名称,或称商号、商业名称,以表示与其他企业的区别,就是使自己的企业有可识别性。在个人独资企业法中对企业名称的确定,采取比较宽松的原则,即不限于只能使用投资人的姓名作名称,而可以自行选择商号,但不能超出法律许可的范围。对个人独资企业的名称还有一项基本规定,就是个人独资企业的名称应当与其责任形式及从事的营业相符合。这项规定是在这部法律的审议过程中增加的,立法的用意在于个人独资企业的名称不应与其他责任形式的企业名称相混淆,比如称为公司的就应是具有公司特征的企业,依照公司法的规定确定名称;而个人独资企业是与公司有区别的,就不应用公司的名称。个人独资企业的名称还应与其营业状况相符,不应在企业名称上有误导,甚至蒙骗消费者,要有利于促进交易安全,维护市场秩序。

3. 有投资人申报的出资

这项条件以及在法律上作出的表述,包含着以下四层意思:一是个人独资企业投资人必须有出资,没有出资便不能设立企业,这是设立企业的必备条件;二是出资的数额由投资人申报,在法律上没有规定出资的最低限额,这与设立公司不同,因为个人独资企业投资人承担的无限责任,投入企业的财产与其他个人财产难以分离,随时可以增加也可以减少,所以规定出资最低限额没有什么实际意义;三是仅规定要有出资而对资金来源未作限定,投资人必须守法,这在个人独资企业法的总则中已作规定,而在守法的前提下,投资人的资金可能是自己的,也可能是家庭共有的,还可能是借来的或者是亲友支持的,对这些在这部法律中不作限定,也都是允许的;四是出资的形式未作规定,允许灵活多样,可以是现金,也可以是实物,还可以是一些财产权利。这样规定是符合一个自然人出资的实际情况的,何况这个投资人是所有者通常又是经营者。

4. 有固定的生产经营场所和必要的生产经营条件

这项条件的基本要求是由于个人独资企业是一个经营实体,

它应当有一定的稳定性,并应当具备与所经营项目相适应的人力、物力、财力条件,这样才能保证企业实际运行起来,而不是一个空壳子。对于个人独资企业来说,将固定的生产经营场所作为必须具备的条件,有利于提高这类企业的素质,稳定经营,便利交易的相对人,这样也可以与一般的小型商贩区别开来。

5. 有必要的从业人员

个人独资企业的从业人员,应当是在企业中从事经营业务的人员,没有从业人员是不可能有企业活动的,而且只有有了与经营业务相适应素质的从业人员,才能保证企业所提供产品、服务达到合格的要求。因此,个人独资企业法将“有必要的从业人员”规定为企业的设立条件,在这项条件中,要有从业人员,这是不言而喻的,不可能存在无从业人员的经营实体;关键是要有“必要的”从业人员,什么是“必要的”,将由有关的行政管理部门作出具体的规定,或者根据已有的有关规定提出具体要求。从业人员的身份,一般有三种,一是投资人本身;二是参与企业生产经营活动的投资人的亲属;三是企业招用的职工。

根据上列条件设立个人独资企业,在程序上的有关要求,即个人独资企业法的有关规定是从这种企业的特点出发的,比较简便易行。也可以说,这是从法律上体现了鼓励、支持个体经济发展的政策方针,提供一个适宜的法律环境。设立个人独资企业的主要程序有:

1. 提出设立申请。可以是投资人直接提出,也可以委托代理人提出,采取何种方式由投资人自行决定,行政管理机关不应限定。

2. 提交申请的有关文件。主要文件以及文件的主要内容已由法律规定,应当依照执行,除了必要的具体要求外,不应再有过多的要求。在立法过程中有的意见主张要申请人提供出资的验资证明,经研究认为,个人独资企业是由投资人申请出资,又无最低的出资限额,加上投资人承担无限责任,因此,由他人出具验资证明没有什么实际意义,在设立登记中不必有这样的要求,法律上也不必作这样的规定。

3. 登记机关在法定的时限内依法予以登记,如果设立申请不符合法定条件的,不予登记时则应当书面答复,说明理由。这样规定使登记程序更加规范化,有利于保护申请人的利益,也可促使登记机关慎重处理登记事宜。

4. 发给营业执照。这是标志个人独资企业合法设立的法律文件,也是这个企业依法进入市场,成为合法的市场主体的法律凭证,在取得营业执照前以个人独资企业名义进行经营活动则是不允许的。

5. 设立分支机构或者登记事项发生变更,都应依法办理登记手续,使个人独资企业的活动处于有秩序的行政管理之中。

四、个人独资企业的事务管理和权益保护

个人独资企业作为一个依法设立的经营实体,在社会经济生活中是一个有独立利益的生产经营单位,在法律关系中它是一个权利义务主体,因此个人独资企业法对其事务管理和权益保护作出了四方面的规定。

(一)关于事务管理

1. 个人独资企业的事务管理权,在法律上是归属于个人独资企业投资人的,但如何行使这种权力可以有两种方式:一是投资人可以自行管理企业事务;二是投资人也可以委托或者聘用其他具有民事行为能力的人负责企业的事务管理。在两种方式中,采用何种方式的决定权在投资人手中;至于第二种方式中是委托给某一个代理人,还是由投资人聘用某些人员然后再授权其管理企业事务,也是由投资人作出抉择。法律对投资人所委托的或者聘用的人员,规定必须是具有民事行为能力的人,因为有无行为能力是

一个人是否具有正常的认识能力和判断能力的问题,具有民事行为能力就是在民事法律关系方面具有实施合法行为的能力,也具有对违法行为承担责任的能力;只有具有民事行为能力,才能承担起负责管理企业事务的责任,法律中对行为能力的要求是必要的。

2. 委托、授权的具体形式。个人独资企业法明确规定,投资人委托或者聘用他人管理个人独资企业事务,应当采用书面形式,与受委托的人或者被聘用的人签订合同,确定委托的具体内容和授予的权利范围。实际上这是以法定的形式确定双方的权利和义务。在这样的合同中,应当有双方当事人的姓名或名称,代理或授权的事项,具体的权限,有效期限等。在有些个人独资企业中,处理这些事项时往往习惯于口头形式,随意性大,纠纷多,不利于保护双方权益,应当从形式上规范起来,有秩序地进行。

3. 信守合同,履行义务。从执行合同来说,订立合同的双方都有责任,恪守信用,认真执行。由于被委托的人或者被聘用的人是受托行使管理企业事务的,则应当持诚实信用的态度,勤勉地履行自己的职责,按照合同的约定行使权利,确定自己活动的范围。

(二)关于权益保护

对于个人独资企业的合法权益,个人独资企业法是明确予以保护的,在总则中明确规定"国家依法保护个人独资企业的财产和其他合法权益"(个人独资企业法第五条),在这项规定中首先突出了财产权利,这是必要的,因为它是个人独资企业的最基本的权利。当然,在保护财产权利的同时,对企业的其他合法权益也同样依法给予保护。与个人独资企业的财产权利直接联系在一起的投资人的所有权,在个人独资企业法中也作出了专门规定,即"个人独资企业投资人对本企业的财产依法享有所有权,其有关权利可以依法进行转让或继承"(个人独资企业法第十七条)。对个人独资企业的合法权益依法保护,为个人独资企业的正常存在与发展提供了法律保障,是宪法原则的体现,也是基本经济制度的具体体现。

1. 防止在委托、授权管理中其合法权益受到侵害

这是针对个人独资企业的合法权益可能遇到的侵害而作出的法律规定。明确在个人独资企业中,投资人委托或者聘用的管理个人独资企业事务的人员不得有十种侵权的违法行为,比如,利用职务上的便利,索取或者收受贿赂;利用职务或者工作上的便利侵占企业财产;挪用企业的资金归个人使用或者借贷给他人;擅自将企业资金以个人名义或者以他人名义开立账户储存;擅自以企业财产提供担保;未经投资人同意,从事与本企业相竞争的业务;泄露本企业的商业秘密等。对这些行为从法律上予以禁止,规范了受委托或者被聘用人员的行为,也是对个人独资企业合法权益的切实保护。在整部个人独资企业法中贯彻了这个原则,就是在规范中保护和鼓励个人独资企业的发展,使它的合法权益纳入受法律保护的范围。

2. 禁止任何不法的侵害行为

在现实生活中,个人独资企业大量的受到乱摊派、乱罚款、乱集资的侵害,同时还出现一些其他形式的侵害其权益的行为,有的甚至严重影响到企业的正常经营或者生存。许多方面呼吁应当在法律中对此有所规定,并应当在法律责任中有相应的规定,以使法律中的规定更有力度。因此,在个人独资企业法的第二十五条中规定,任何单位和个人不得违反法律、行政法规的规定,以任何方式强制个人独资企业提供财力、物力、人力;对于违法强制提供财力、物力、人力的行为,个人独资企业有权拒绝。同时,在个人独资企业法第四十一条中规定,违反法律、行政法规的规定强制个人独资企业提供财力、物力、人力的,按照有关法律、行政法规予以处罚,并追究有关责任人员的责任。这两项法律规定的要点为:一是不允许对个人独资企业的合法权益有侵害行为,而且这些禁止性的规定是针对任何单位和个人的;二是判定是否为侵害行为以法

律、行政法规为准,违法的即被禁止;三是个人独资企业有权对侵害其合法权益的行为予以拒绝,法律支持对违法行为的抵制;四是对违法者进行处罚,同时追究责任人员的责任。

3. 确认应当享有的权利

个人独资企业不但有作为企业存在的权利,而且还应当享有依法申请贷款、取得土地使用权,以及法律、行政法规定的其他权利。这些权利的内容是广泛的,比如还有商标法规定的使用商标的权利、专利法规定享有专利权的权利等许多在法律、行政法规中确定的权利。这些权利在个人独资企业法中得到重申,事实上是要求社会上尊重个人独资企业的这些权利,也是让个人独资企业自觉地享有与维护这些权利。

五、个人独资企业的社会责任和应当保护的职工权利

个人独资企业是在社会中存在的经济实体,它应当对社会负有责任。这种责任有所有的社会成员都应当承担的,也有与其本身性质相联系的。在个人独资企业法中主要有以下规定:

个人独资企业从事经营活动必须遵守法律、行政法规,不得从事法律、行政法规禁止经营的业务,这是个人独资企业必须承担的依法行事、合法经营的责任;

个人独资企业不得损害社会公共利益的责任,这是指个人独资企业可以依法谋取利益,追求利润,但是要以不得损害社会公共利益为前提,社会公共利益高于企业的利益;

个人独资企业应当遵守诚实信用原则,不得欺骗消费者,不得对社会公众有欺诈行为,这也是一种应有的社会责任;

个人独资企业应当依法履行纳税义务,这就是承担依法纳税的社会责任。

除此以外,还有若干依法履行的义务和应当遵守的社会公德。这些社会责任都是每一个正常经营的个人独资企业所应承担的,

并且承担这种社会责任和维护企业的根本利益有其一致性。

在个人独资企业中,有一部分是招用职工的,这些职工是劳动者,应当依法维护他们的权利,保护他们。个人独资企业法对职工权利作出了以下几方面的基本规定:

一是,个人独资企业应当依法招用职工;职工的合法权益受法律保护。这样的规定是非常必要的,也可以说是针对目前有些个人独资企业中损害职工合法权益的行为而作出的法律规定。

二是,个人独资企业职工依法建立工会,工会依法开展活动。这就是指个人独资企业中的职工有权依照工会法建立工会,并依照工会法开展活动,企业对此应当支持并依法提供开展活动的条件。

三是,个人独资企业招用职工的,应当依照劳动法及其他有关法律与职工签订劳动合同,保障职工的劳动安全,按时、足额发放职工工资。这几项权利都是职工的基本权利,必须在法律上强调对其保护,如果违法损害职工权利,将被依法追究责任。

四是,个人独资企业应当按照国家规定参加社会保险,为职工缴纳社会保险费。这也是职工的重要利益所在,个人独资企业应当自觉、认真地依法实行。

上述几项职工权益的保护,虽然已有法律的规定,但在实施中仍有不少具体问题,需要在尊重法律的基础上,真心实意地从维护职工利益出发,切实执行。

六、个人独资企业的解散与清算

个人独资企业是一个自然人投资设立的企业,并且企业财产和投资人个人财产是不分离的,承担的是无限责任,所以个人独资企业的解散与清算在法律上反映了这种特点。

(一)解散的原因

首先是取决于投资人的愿望,如果投资人不再愿意经营的,则可以决定解散,并不需要提出什么理由。第二是由于投资人的死亡,这是由于个人独资企业是个人单独出资的,出资主体已不存在,则企业随之消失,但是如果与财产继承相联系,则应当考虑两种情况,一种是有合法继承人而又愿意继续经营的,企业可以继续存在,这与传统的需要解散的做法相比有了较多的灵活性;另一种情况为无继承人或者继承人决定放弃继承的则应当解散。第三是被依法吊销营业执照,实际上这是被依法取消经营资格后的解散行为。第四是法律、行政法规规定的其他情形。由于个人独资企业数量很多,分布得又极广,解散的原因除前三种外还会有其他的情况,所以在法律上留有余地。

(二)清算方式

这共有两种方式:一种由投资人自行清算,因为个人独资企业数量很多,规模又小,承担无限责任,因而由其个人作清算人,自己进行清理是符合实际情况的;另一种情况是债权人申请人民法院指定清算人进行清算,这就是需要人民法院介入时,人民法院依法介入。

(三)债权债务处理

个人独资企业清算时,应当通知债权人申报债权,要保护债权人的利益;个人独资企业解散后,原投资人对个人独资企业存续期间的债务仍应承担偿还责任,但债权人在五年内未向债务人提出偿债请求的,该责任消灭。这项规定是采用商法方面的原则,即投资人所负债务在一定的条件下,有一定的时效,债权人放弃的,这项权利即失效。

(四)关于投资人的无限责任

这就是个人独资企业法第三十一条所确立的规则,即个人独资企业财产不足以清偿债务的,投资人应当以其个人的其他财产予以清偿。这里有可能出现一种情况,就是个人独资企业的债务超过投资人个人财产,如果涉及个人破产时,这就依照民法方面的规定处理,而在个人独资企业法中未作出这方面的规定。

第二部分　释　　义

第一章　总　　则

第一条　为了规范个人独资企业的行为，保护个人独资企业投资人和债权人的合法权益，维护社会经济秩序，促进社会主义市场经济的发展，根据宪法，制定本法。

【释义】本条是对个人独资企业法立法宗旨和立法根据的规定。

一、个人独资企业法是调整个人独资企业法律关系的基本法，是规范市场主体行为的法律之一，与公司法、合伙企业法共同构成市场主体法律基本框架。制定个人独资企业法，赋予个人独资企业市场主体法律地位，完善我国市场主体法律制度，是改革开放不断深化的必然结果。但是，在此之前的很长一段时期内，由于对国情国力判断错误，导致政策出现偏差，盲目追求"一大二公"，违反了生产关系要适合生产力发展要求这一马克思主义基本原理，致使生产力受到严重破坏。1979 年，国家实行改革开放政策，纠正了政策上的偏差，生产力开始得到恢复和发展。1992 年，中国共产党第十四次全国代表大会确定我国经济体制改革的目标是建立社会主义市场经济，并载入 1993 年宪法修正案，进一步解放了生产力，有力地推动了我国非公有制经济的发展。据国家工商行政管理部门提供的资料，1993 年和 1994 年，我国非公有制企业（不含外商投资企业）增幅分别比上年增加 70% 和 80%，到 1998 年年底，全国经注册的非公有制企业达 136 万户，注册资本 1 万多亿元，从业人员 1700 多万；1998 年，创产值 5800 多亿元，实现营业收入 5300 多亿元。在 136 万户企业中，个人独资企业占 44.2 万户，约占企业总数的 37%。从个人独资企业的发展速度看，1997 年和 1998 年的增幅分别比上年增加 8% 和 14%。此外，全国还有 3100 多万个体工商户，其中有相当一部分具备了个人独资企业的条件。他们在发展经济、安置下岗职工、促进就业、增加财政收入和维护社会稳定等方面发挥了重要作用。1997 年，中国共产党第十五次全国代表大会充分肯定了非公有制经济的地位，明确非公有制经济是我国国民经济的重要组成部分，并载入 1999 年宪法修正案。在此基础上，九届全国人大常委会第十一次会议于 1999 年 8 月 30 日，继八届全国人大常委会审议通过公司法和合伙企业法后，审议通过个人独资企业法，赋予个人独资企业市场主体法律地位，表明我国市场主体法制建设已从过去主要按所有制性质确定市场主体法律地位转到主要按投资方式和责任形式确定市场主体法律地位的社会主义市场经济法制轨道上来。同时也标志着我国市场主体法律框架已经初步形成。

二、为了鼓励和引导个人独资企业健康发展，本条开宗明义，阐明了个人独资企业法的立法宗旨。

（一）规范个人独资企业的行为。个人独资企业又称业主制企业，是由一个自然人投资经营，投资人以其个人财产对企业债务承担无限责任的经营实体，具有规模小、内部结构简单、经营灵活等特点，是引导个人投资参与经济建设较理想的企业形式之一。但是在市场经济条件下，个人独资企业受利益驱动，也具有抗拒任何阻碍实现其利己目标的自发倾向。一旦利己目标发生失度膨胀，就有可能使自己走上破坏经济秩序甚至牺牲其他经济组织利益的道路。因此，尽管个人独资企业是中小型企业中较成功者，也要充分认识其对社会可能产生的危害性,并加以规范。一方面为其发展创造公平、宽松的环境,另一方面对其可预见的危害性,也要依法加以约束。

(二)保护个人独资企业投资人和债权人的合法权益。个人独资企业投资人是个人独资企业财产的所有权人,其投资经营个人独资企业是法律赋予的权力,应当受到法律保护。目前存在的突出问题是,一些单位和个人非法干预个人独资企业自主经营,侵占、挪用个人独资企业财物,向个人独资企业乱收费、乱摊派、乱罚款的情况普遍,严重损害了个人独资企业投资人的合法权益。为了鼓励和引导个人独资企业健康发展,需要加强对个人独资企业投资人合法权益的保护。同时,个人独资企业在经济活动中与其他经济组织发生债权债务关系是不可避免的,除了要依法保护个人独资企业及其投资人合法权益外,也要保护债权人的合法权益。我国民法通则规定,债是按照合同的约定或者依照法律的规定,在当事人之间产生的特定的权利和义务关系。享有权利的人是债权人,负有义务的人是债务人,债权人有权要求债务人按照合同的约定或者依照法律的规定,履行义务。依法保护债权人合法权益是维护公平交易和社会经济秩序的必然要求。

(三)维护社会经济秩序,促进社会主义市场经济的发展。建立和发展社会主义市场经济,是我国经济体制改革的目标,实现这个目标要有良好的社会经济秩序相伴。而良好的社会经济秩序的建立,一方面要靠国家立法和执法予以保障,另一方面也要靠全体公民、各企业事业单位和组织自觉遵守法律加以实现。即运用法律机制调整和规范市场经济条件下的各种社会关系,以维护社会经济秩序,促进社会主义市场经济的发展。这不仅是市场经济对法律的必然要求,也是市场经济健康发展的保障。个人独资企业是我国市场主体的重要组成部分,对我国社会主义市场经济的形成和发展起着重要作用,有效地规范个人独资企业的行为,切实保护个人独资企业投资人和债权人的合法权益,不仅有利于提高个人独资企业素质,引导个人独资企业健康发展,同时,对维护社会经济秩序,促进社会主义市场经济的发展也将产生积极的影响。

以上立法宗旨是一个有机整体,相互关联不可分割,本法其他各项规范都是为实现这一宗旨服务的。认真落实本法各项规范,将对实现本法的立法宗旨起到重要作用。

三、本法的立法根据是《中华人民共和国宪法》。宪法是国家的根本法,具有最高的法律效力,是制定一切法律的依据,本法也不例外。宪法第五条规定,"中华人民共和国实行依法治国,建设社会主义法治国家。"第六条规定,"国家在社会主义初级阶段,坚持公有制为主体、多种所有制经济共同发展的基本经济制度。"第十一条规定:"法律规定范围内的个体经济、私营经济等非公有制经济,是社会主义市场经济的重要组成部分。""国家保护个体经济、私营经济的合法权利和利益。国家对个体经济、私营经济实行引导、监督和管理。"第十五条规定:"国家实行社会主义市场经济。""国家加强经济立法,完善宏观调控。""国家依法禁止任何组织或者个人扰乱社会经济秩序。"宪法的这些规定是制定本法的基本指导原则,本法的规定是对宪法的规定的具体化。

第二条 本法所称个人独资企业,是指依照本法在中国境内设立,由一个自然人投资,财产为投资人个人所有,投资人以其个人财产对企业债务承担无限责任的经营实体。

【释义】本条是对个人独资企业法调整对象和适用范围的规定。

一、每一部法律都有自己的调整对象和适用范围。如我国公司法的调整对象是公司制企业法律关系,它的适用范围是依照公司法在中国境内设立的有限责任公司和股份有限公司。合伙企业法的调整对象是合伙制企业法律关系,它的适用范围是依照合伙企业法在中国境内设立，由合伙人订立合伙协议，共同出资、合伙经营、共享收益、共担风险，并对合伙企业债务承担无限连带责任的营利性组织。本法的调整对象是个人独资企业法律关系，它的适用范围是依照本法在中国境内设立，由一个自然人投资，财产为投资人个人所有，投资人以其个人财产对企业债务承担无限责任的经营实体，包括符合本法规定条件的现有的个人独资企业和部分个体工商户；不包括国有和集体所有的独资企业，也不包括外商投资的独资企业。

本法未将国有和集体所有的独资企业纳入调整范围，主要是考虑这两种企业虽然由国家或者集体一方投资，但投资人对企业承担的是有限责任，企业一般具有法人资格，与本法所规范的个人独资企业性质不同。如果将国有和集体所有的独资企业也纳入本法调整范围，则要在同一部法律中对法人与非法人，有限责任与无限责任两种不同规范同时作出规定，立法有一定难度，也不符合国际上的通行做法。另外，对于国有和集体所有的独资企业的行为，国家已有全民所有制工业企业法、《城镇集体所有制企业条例》、《乡村集体所有制企业条例》等专门法律、法规规范。当前亟待规范和保护的是自然人投资设立的独资企业，对这类企业急需解决的问题通过立法加以规范，有利于维护社会经济秩序，促进个人独资企业健康发展。

关于我国的个体工商户，他们当中大多数由一人投资经营，自担风险，有必要的出资，有固定的生产经营场所和必要的生产经营条件，符合本法规定的个人独资企业的性质和条件，将这部分经营实体纳入本法调整范围，即有利于对他们的管理与规范，也有利于它们的发展。本法第八条规定了设立个人独资企业应当具备的条件，凡符合这些条件的个体工商户可以依法申请设立个人独资企业。不符合本法规定条件的个体工商户，如没有固定的生产经营场所或者只是从事季节性经营的，则不纳入本法调整范围。

关于外商投资设立的独资企业，由于目前国家已有专门法律规范外商投资企业行为，故本法第四十七条规定，外商独资企业不适用本法。

二、本条在明确个人独资企业法调整对象和适用范围的同时，对个人独资企业的法律特征也作了明确界定，以与公司和合伙企业相区别。作为当今市场经济最典型的三种企业形式，公司、合伙和个人独资企业，虽然同为以营利为目的的经济组织或者称经济实体，但是三者的法律形态截然不同：

第一，存在的法律依据不同。公司制企业依据公司法设立，受公司法调整；合伙制企业依据合伙企业法设立，受合伙企业法调整；个人独资企业依据个人独资企业法设立，受个人独资企业法调整。

第二，组建方式不同。公司一般由两个以上投资人共同出资设立，投资人可以是自然人，也可以是法人。合伙企业由两个以上合伙人共同出资设立，合伙人一般为自然人。个人独资企业由一个自然人投资设立。

第三，投资人与公司或者企业的财产关系不同，责任形式不同。公司股东的个人财产与其投入公司的财产彻底分离，股东以其出资额为限，对公司承担责任，即负有限责任。合伙企业合伙人的财产与合伙企业的财产相对分立，当合伙企业财产不足以清偿合伙企业债务时，合伙人以其投入合伙企业的财产以外的其他财产对合伙企业债务负连带清偿责任，即负无限责任。个人独资企业投资人的个人财产与企业财产不分离，投资人以其个人财产对企业债务承担无限责任。

第四，法律地位不同。公司是企业法人，合伙企业和个人独资企业是非法人。

第五，内部事务管理结构不同。公司设股东会、董事会、监事会，依照法定职权和公司章程的约定管理公司事务。合伙企业的合伙人依照合伙企业法的规定和合伙协议的约定管理合伙企业事务。合伙人对执行合伙企业事务享有同等的权利,可以由全体合伙人执行合伙企业事务,也可以由合伙协议约定或者全体合伙人决定,委托一名或者数名合伙人执行合伙企业事务。不参加执行合伙企业事务的合伙人有权监督执行合伙企业事务的合伙人,检查它们执行合伙企业事务的情况。个人独资企业的出资人可以自行管理企业事务,也可以委托或者聘用其他具有民事行为能力的人负责企业事务的管理。

除了上述主要的区别外,个人独资企业与公司和合伙企业相比,一般规模较小,设立条件较宽松,设立程序较简便,进入或者退出市场也较灵活。但是其公示性(主要指财务公开程度)不如公司和合伙企业,投资者的经营风险大于公司和合伙企业。投资者可以根据自己的投资取向,自愿选择适合自身发展需要的企业形式进行投资,进入市场,参与竞争。

第三条 个人独资企业以其主要办事机构所在地为住所。

【释义】本条是对个人独资企业住所的规定。

一、我国民法通则第三十九条规定,法人以其主要办事机构所在地为住所。公司法规定,公司是企业法人,公司以其主要办事机构所在地为住所。依照上述法律规定,法人必须有住所。个人独资企业是由自然人个人投资设立和经营管理的非法人企业,投资人以其个人财产对企业的债务承担无限责任,企业与投资人之间人格不分。对这种非法人企业是否也要要求其必须有自己的住所。根据本条规定,个人独资企业必须有住所,以其主要办事机构所在地为住所。个人独资企业的主要办事机构所在地是指个人独资企业经营管理中心的所在地。本条规定个人独资企业以其主要办事机构所在地为住所的法律意义在于:

第一,可以据以确定与个人独资企业有关的诉讼管辖。所谓诉讼管辖是指公民之间、法人之间、其他组织之间以及他们相互之间因财产关系和人身关系提起的民事诉讼由哪一级人民法院或者哪一个地区人民法院受理。为了明确这个问题,我国民事诉讼法对人民法院的级别管辖和地域管辖(含专属管辖)作了具体规定。级别管辖分为四级:第一级是基层人民法院,管辖第一审民事案件(法律另有规定的除外);第二级是中级人民法院,管辖重大涉外案件和在本辖区有重大影响的案件以及高级人民法院确定由中级人民法院管辖的第一审民事案件;第三级是高级人民法院,管辖本辖区有重大影响的第一审民事案件;第四级是最高人民法院,管辖在全国有重大影响的案件和认为应当由其自行审理的第一审民事案件。关于地域管辖,民事诉讼法根据诉讼主体和诉讼标的的不同,作了不同的规定:例如,对公民、法人或者其他组织提起的民事诉讼,由被告住所地人民法院管辖;对被劳动教养的人或者被监禁的人提起的诉讼,由原告住所地人民法院管辖;因合同纠纷提起的诉讼,由被告所在地或者合同履行地人民法院管辖;因侵权行为提起的诉讼,由侵权行为地或者被告住所地人民法院管辖;因不动产纠纷提起的诉讼由不动产所在地人民法院管辖,等等。依照民事诉讼法的规定,以个人独资企业为被告的民事诉讼由个人独资企业住所地人民法院管辖。个人独资企业作原告的民事诉讼,依照民事诉讼法的规定,由有管辖权的人民法院管辖。

第二,可以据以确定与个人独资企业有关的法律文书的送达处所。根据民事诉讼法的规定,诉讼文书应当直接送交受送达人。受送达人是公民的,本人不在交他的同住成年家属签收;受送达人是法人或者其他组织,应当由法人的法定代表人、其他组织的主要负责人或者该法人、组织负责收件的人签收;受送达人有诉讼代理人的,可以送交其代理人签收;受送达人已向人民法院指定代收人的,送交代收人签收。直接送达诉讼文书有困难的,可以委托其他人民法院代为送达,或者邮寄送达。对个人独资企业来说,无论直接送达或者邮寄送达,均以其住所地为送达处所。

第三,可以据以确定与个人独资企业有关的债务履行处所。我国民法通则规定,债是按照合同的约定或者依照法律的规定,在当事人之间产生的特定的权利和义务关系。享有权利的人是债权人,负有义务的人是债务人。债权人有权要求债务人按照合同的约定或者依照法律的规定履行义务。履行地不明确,给付货币的,在接受给付一方的所在地履行,其他标的在履行义务一方的所在地履行。在这种情况下,个人独资企业作为履行义务的一方,履行地应为其住所地。

第四,可以据以确定个人独资企业的登记机关。我国《企业法人登记管理条例》规定,经国务院或者国务院授权部门批准的全国性公司、企业集团、经营进出口业务的公司,由国家工商行政管理机关核准登记注册。中外合资经营企业、中外合作经营企业、外资企业由国家工商行政管理机关或者其授权的地方工商行政管理机关核准登记注册。全国性公司的子(分)公司,经省级人民政府或其授权的部门批准设立的企业、企业集团、经营进出口业务的公司,由省级人民政府工商行政管理机关核准登记注册。其他企业,由所在市、县(区)人民政府工商行政管理机关核准登记注册。这里所说的市、县(区)人民政府工商行政管理机关应为个人独资企业住所地人民政府工商行政管理机关。

二、个人独资企业的住所与其生产经营场所不同。个人独资企业的法定住所只能有一处,而生产经营场所可以根据实际需要设置,可以是一处,也可以是多处。个人独资企业的住所原则上应当与其投资人的居所分离。世界上多数国家的法律都明确规定,在居民居住区内不得设立企业从事生产经营活动,以防止破坏居民区的安宁,影响居民的正常休息和生活。我国的城市规划也都作了功能区划分。但是对于不扰民、无污染、方便人民生活的个人独资企业,法律并不禁止其住所与投资者的居所同址。这样有利于降低投资成本,鼓励有能力的公民投资,满足人民生活需要。个人独资企业的住所是法定住所,经注册登记后,不得随意变更,变更住所,要依法办理变更登记,逾期不办理变更登记的,将依照本法第三十七条的规定,处以二千元以下的罚款。

第四条 个人独资企业从事经营活动必须遵守法律、行政法规,遵守诚实信用原则,不得损害社会公共利益。

个人独资企业应当依法履行纳税义务。

【释义】本条是对个人独资企业经营活动准则的规定。

个人独资企业作为独立经营实体,在市场经济条件下,受利益驱动,具有很强的自发性和盲目性,为了规范个人独资企业的经营行为,维护正常的经济秩序,本条对个人独资企业经营活动的准则作了明确规定。

一、必须遵守法律、行政法规,在法律、行政法规允许的范围内活动

法律是国家立法机关依照法定程序制定,以国家强制力保证其施行的人们共同遵守的行为规范,包括宪法和全国人民代表大会及其常务委员会制定的各项基本法和单项法。如刑法、民法通则、公司法、合同法、票据法、保险法、商标法、专利法、刑事诉讼法、民事诉讼法和行政诉讼法等。行政法规是国务院为实施行政管理职责,依据宪法、法律和国家立法机关的授权制定的,以国家强制力保证其施行的人们共同遵守的行为规则,包括国务院颁布或者国务院批准颁布的条例、办法等。如企业登记条例、企业会计准则等。法律和行政法规广义上统称为法,是全国各族人民根本利益的集中体现。一切国家机关、武装力量、各政党、各社会团体、各企业事业组织和全体公民都必须遵守。这是建立社会主义法制国家的必然要求。

改革开放以来,特别是随着社会主义市场经济体制的逐步确

立，国家加快了市场经济方面的立法，有关各类市场主体设立、变更、终止，产品质量、消费者权益保护、劳动、税收、环境保护、反对不正当竞争等有关市场经济管理的法律陆续出台，将企业经营活动全部纳入法制轨道，不仅为企业发展创造了公平有序的竞争环境，同时为企业维护自身合法权益提供了法律保障。市场经济是法制经济，个人独资企业只有依法经营才能最大限度地获取应得利益，并得到法律保护。违法经营，必然要受到法律的追究和制裁。

二、必须遵守诚实信用原则

诚实信用原则是一切商事活动的基本原则。最早起源于罗马法，原来是指契约的履行应当诚实守信。经过法国民法和德国民法的发展，到了瑞士民法，已经将诚实信用原则的适用由债权债务关系扩及整个商事活动。诚实信用原则要求经营者行使权利、履行义务应当本着真诚善意的态度，讲真话、办实事，开诚布公，信守承诺，不得以欺诈蒙骗等有悖于诚实信用原则的方法从事经营活动，损害国家和消费者利益。诚实信用原则是市场经济活动的基本原则。按照诚实信用原则，个人独资企业在经营活动中应当重合同守信用，提供商品或服务要按质论价，自觉维护国家和消费者利益。然而现实生活中确有一些个人独资企业受利益的驱动，滥用法律赋予的权力，违背诚实信用原则，采取以次充好，掺杂使假等手段欺骗消费者。所有这些都是与社会主义道德标准格格不入的，也是社会主义市场经济法律秩序所不容许的。个人独资企业应当自重、自爱，自觉遵守诚实信用原则，这对于提高个人独资企业自身的商誉和竞争力，具有十分重要的意义。

三、不得损害社会公共利益

社会公共利益是全社会最广大人民群众的共同利益，包括物质的利益和非物质的利益，其中也包括个人独资企业自身的利益。需要通过建立良好的经济秩序和社会秩序加以维护。个人独资企业作为独立的经营实体,追求利润是其根本目的,加上其自身的个体性特征,受利益驱动,在经营活动中极易与社会公共利益发生冲突,从而导致社会公共利益受损,这是任何一个国家的法律制度都不容许的。本条规定,个人独资企业从事经营活动不得损害社会公共利益,目的是警示个人独资企业要尊重社会公共利益,自觉维护社会公共利益,不要一味追求自身利益而置国家和社会公共利益于不顾;如果有损害国家和社会公共利益的行为,将依法受到追究。

四、依法履行纳税义务

税收是国家财政收入的主要来源,是国家发展公益事业,促进经济和社会全面发展及实现国家管理职能的基本保证。一切经济组织和公民都有依法纳税的义务。个人独资企业从事经营活动应当依法履行纳税义务。

关于个人独资企业及其投资人的所得税负担问题,在制定个人独资企业法的过程中始终是各方关注的焦点问题之一。按照现行《企业所得税暂行条例》的规定,个人独资企业应当根据其应税所得额缴纳 33% 的企业所得税。同时,按照个人所得税法的规定,个人独资企业的投资人从企业分得的利润还要缴纳 20% 的个人所得税。本法生效后,将有部分具备条件的个体工商户转为个人独资企业,而他们过去只按应税所得额 5—35% 的超额累计税率缴纳个人所得税,转为个人独资企业后,要缴纳二道税,将加重他们的税负。对此,许多全国人大常务委员会委员在审议个人独资企业法(草案)时提出,对个人独资企业应当只收一道税,避免双重征税。经研究,全国人大法律委员会认为,对个人独资企业如何征税问题情况比较复杂,涉及我国现行税收制度的调整和完善,需要在制定税法时通盘考虑。因此,只对个人独资企业依法履行纳税义务作了规定。目前,国家有关部门已经注意到双重征税对个人独资企业发展的影响,正在着手研究解决这一问题。但在问题解决之前,个人独资企业仍应依法履行纳税义务。

第五条　国家依法保护个人独资企业的财产和其他合法权益。

【释义】本条是对个人独资企业合法权益依法予以保护的规定。

一、个人独资企业即是独立市场主体,也是独立的权益主体。个人独资企业依法设立,其合法权益受法律保护。个人独资企业合法权益主要集中体现在以下几个方面:

(一)名称权。即确定企业名称和使用企业名称的权利。企业的名称是本企业与其他企业相互区别的标志,依法经注册登记,即取得专用权,是企业的无形资产,其他任何单位和个人均不得冒用。但是个人独资企业行使名称权要遵守法律、行政法规的规定。个人独资企业的名称应当与其责任形式及所从事的营业相符合,不得使用法律、行政法规规定禁止使用的名字和文字。

(二)人事权。即企业的用人权。个人独资企业根据经营管理的实际需要,有权自行决定企业内部的机构设置和人员编制,有权决定员工的工资、任免和奖惩事项。但是个人独资企业招用职工必须遵守法律、行政法规的规定,不得招用未满十六周岁的未成年人。

(三)财产权。即占有、使用和处分企业财产的权利。由于个人独资企业由公民(自然人)个人投资设立,财产为投资人所有,投资人以其个人财产对企业债务承担无限责任,因此,个人独资企业的财产与其投资人的财产是不可分割的。个人独资企业的投资人有权自行决定企业财产的使用管理和资金调度。但是行使财产权不得拖欠和克扣职工工资。

(四)决策权。即决定个人独资企业经营管理的权利。个人独资企业作为依法设立的独立的经营实体,根据参与市场竞争和自身发展的需要，就企业的经营方向、管理目标、业务范围、对外投资、解散等，自行作出决定，自主经营、自负盈亏。但是行使决策权不得违反法律、行政法规的规定，不得从事法律、行政法规禁止经营的业务，不得超出核定的业务范围从事经营活动，不得从事假冒伪劣商品的生产和经营等。

（五）收益权。即企业依法获取经营收益的权利。个人独资企业依法从事经营或者提供服务，有权就所从事的经营或者提供的服务获取应得合法收入。但是，个人独资企业行使收益权，要依照法律、行政法规的规定，照章纳税。

（六）其他合法权益。如申请商标注册，依法取得商标专用权；提出专利申请，依法取得专利权；以及依法设立或者撤销分支机构的权利等。

二、法律对企业的合法权益作了相应的保护的规定，国家依法保护个人独资企业的合法权益。

（一）民法通则规定，企业的名称权、名誉权和荣誉权受到侵害，有权要求停止侵害，恢复名誉，消除影响，赔礼道歉；并可以要求赔偿损失。

（二）商标法规定，企业的注册商标受到侵犯的，有权向县级以上工商行政管理部门要求处理，有关工商行政管理部门有权责令侵权人立即停止侵权行为，赔偿损失；情节严重的，可以处以罚款。当事人不服的，可以在收到通知之日起十五天内，向人民法院起诉，期满不起诉又不履行的，有关工商行政管理部门可以申请人民法院强制执行。被侵权人也可以直接向人民法院起诉。侵权行为构成犯罪的，依法追究刑事责任。

（三）专利法规定，企业的专利权受到侵犯的，可以请求专利管理机关进行处理，也可以直接向人民法院起诉。专利管理机关处理时，有权责令停止侵权行为，并赔偿损失；当事人不服的，可以在收到通知之日起三个月内向人民法院起诉；期满不起诉又不履行的，专利管理机关可以申请法院强制执行。假冒他人专利，情节严重，构成犯罪的，依法追究刑事责任。

（四）本法规定，个人独资企业的投资人可以自行管理企业事务，也可以委托或者聘用其他具有民事行为能力的人负责企业的事务管理。投资人委托或者聘用的管理个人独资企业事务的人员不得利用职务或者工作之便侵占企业的财产；不得挪用企业的资金归个人使用或者借贷给他人；不得擅自将企业的资金以个人名义或者他人名义开立账户存储；不得擅自以企业的财产为自己或者他人提供担保；不得未经投资人同意，从事与本企业相互竞争的业务；不得未经投资人同意，同本企业订立合同或者进行交易；不得未经投资人同意，擅自将企业的商标或者其他知识产权转让给他人使用；不得泄露本企业的商业秘密；以及法律、行政法规禁止的其他行为。投资人委托或者聘用的人员违反本法规定，侵犯个人独资企业财产权益的，责令退还侵占的财产；给企业造成损失的，依法承担赔偿责任；有违法所得的，没收违法所得；构成犯罪的，依法追究刑事责任。

（五）本法还规定，任何单位和个人不得违反法律、行政法规的规定，以任何方式强制个人独资企业提供财力、物力、人力；对于违法强制提供财力、物力、人力的行为，除个人独资企业有权拒绝外，可以按照有关法律、行政法规予以处罚，并追究有关责任人员的责任。

三、市场经济是法制经济，国家改革的目标之一是建立法治国家。依据我国宪法规定，企业在法律规定的范围内，有经营管理的自主权。宪法和法律为个人独资企业依法维护自身合法权益提供了依据，个人独资企业要学会运用法律武器维护自身的合法权益。各级政府、监督管理机构应当维护个人独资企业的合法权益。个人独资企业合法权益受到侵害时，个人独资企业可以通过申请行政复议或者诉讼的方式保护自身的合法权益。

第六条 个人独资企业应当依法招用职工。职工的合法权益受法律保护。

个人独资企业职工依法建立工会,工会依法开展活动。

【释义】本条是对个人独资企业职工合法权益依法予以保护的规定。

目前,在我国一些个人独资企业中非法招工和侵犯职工合法权益的情况比较普遍,有的相当严重。在制定个人独资企业法的过程中,许多地方、部门、单位和全国人大常委会委员都提出,在依法保护个人投资企业及其投资人合法权益的同时,必须加强对个人独资企业职工合法权益的保护。为此,本条从以下几个方面对保护个人独资企业职工合法权益作出了明确规定:

一、个人独资企业应当依法招用职工

根据本法第二条规定,个人独资企业是由一个自然人投资,财产为投资人个人所有,投资人以其个人财产对企业债务承担无限责任的经营实体。因此,个人独资企业依法享有自主经营的权利,有权根据企业自身经营管理的实际需要决定企业招用或者不招用职工,招用多少职工,招用什么样的职工和招用长期工或者临时工。本条规定个人独资企业应当依法招用职工,不是要求所有的个人独资企业不管自身经营管理是否需要,都必须招用职工。但是,个人独资企业招用职工的,必须遵守法律、行政法规的规定,不得在招工中损害职工利益。

第一,禁止招用未满十六周岁的未成年人(劳动法第十五条)。未成年人是国家的未来,国家保障未成年人的人身、财产和其他合法权益不受侵犯。对侵犯未成年人合法权益的行为,任何组织和个人都有权予以劝阻、制止或者向有关部门提出检举或者控告(未成年人保护法第五条)。非法招用未满十六周岁的未成年人的,由劳动行政部门责令改正,处以罚款;情节严重的,由工商行政管理部门吊销营业执照(未成年人保护法第四十九条、劳动法第九十四条)。

第二,招用职工必须按照平等自愿、协商一致的原则与职工签订劳动合同,确定双方的权利和义务。劳动合同依法订立即具有法律约束力,当事人必须履行合同规定的义务(劳动法第十七条)。

第三,劳动合同必须以书面形式订立并载明下列事项:(1)劳动合同期限;(2)工作内容;(3)劳动保护和劳动条件;(4)劳动报酬;(5)劳动纪律;(6)劳动合同的终止条件;(7)违反劳动合同的责任;(8)双方议定的其他事项(劳动法第十九条)。

第四,劳动合同可以约定试用期,但是最长不得超过六个月(劳动法第二十一条)。

第五,订立劳动合同不得违反法律、行政法规,违反法律、行政法规或者采取欺诈、威胁等手段订立的劳动合同无效。无效的劳动合同,从订立的时候起,就没有法律约束力(劳动法第十八条)。

第六,由于用人单位(如个人独资企业)的原因,使订立的劳动合同无效,给职工造成损害的,用人单位应当依法承担赔偿责任(劳动法第九十七条)。

二、职工合法权益受法律保护

个人独资企业的职工是我国工人阶级的重要组成部分,同一切劳动者一样是国家的主人,他们的合法权益受宪法和法律的保护。个人独资企业作为依法设立的经营实体,必须在宪法和法律的范围内活动,有义务保障职工的合法权益。职工的合法权益由两部分组成:一是享有宪法和法律规定的公民的基本权利。如选举权、被选举权;宗教信仰自由;言论、出版、集会、结社、游行、示威自由;通信自由,通信秘密受法律保护;住宅不受侵犯;人格尊严不受侵犯;人身自由不受侵犯,非经人民检察院批准或者决定,或者人民法院决定,并由公安机关执行,不受逮捕等(宪法第三十四、

三十五、三十六、三十七、三十八、三十九、四十条等)。二是享有宪法和法律规定的劳动者的权利。如劳动的权利;平等就业和选择职业的权利;获取劳动报酬的权利;休息休假的权利;获取劳动安全卫生保护的权利;接受职工技能培训的权利;享受社会保险福利的权利;提请劳动争议处理的权利;女职工和未成年工(指年满十六周岁未满十八周岁的劳动者)享受特殊劳动保护的权利以及法律规定的其他劳动权利(宪法第四十二、四十三、四十八条,劳动法第三、五十八条等)。

职工的上述合法权益受宪法和法律的保护,任何侵犯职工合法权益的行为都将受到法律的制裁。按照本法规定,个人独资企业招用职工的,应当依法与职工签订劳动合同,保障职工的劳动安全,按时、足额发放职工工资(第二十二条);个人独资企业应当按照国家规定参加社会保险,为职工缴纳社会保险费(第二十三条);个人独资企业违反本法规定,侵犯职工合法权益的,按照有关法律、行政法规予以处罚,并追究有关责任人员的责任(第三十九条)。

三、个人独资企业职工依法建立工会,工会依法开展活动

按照工会法的规定,工会是职工自愿结合的工人阶级的群众组织。在团结和动员广大职工积极投身现代化建设,促进改革开放、经济发展和社会稳定中发挥着重要作用。除全国建立统一的中华全国总工会外,县级以上地方建立地方各级总工会。同一行业或者性质相近的几个行业,可以根据需要建立全国的或者地方的产业工会。企业、事业单位、机关有会员 25 人以上的,可以建立基层工会委员会;会员不足 25 人的,可以选举组织员一人,组织会员开展活动。在中国境内的企业、事业单位和机关中以工资收入为主要生活来源的体力劳动者和脑力劳动者,不分民族、种族、性别、职业、宗教信仰、教育程度,都有依法参加和组织工会的权利。其中也包括个人独资企业的职工。个人独资企业的职工依法参加

和组织工会，受法律保护。

工会作为工人阶级的群众组织，应当在宪法和法律的范围内依照工会章程开展活动，工会章程不得与宪法和法律相抵触。国家保护工会的合法权益不受侵犯。工会组织要教育职工依照宪法和法律的规定行使民主权利；动员和教育职工以主人翁态度对待劳动，爱护国家和企业的财产，遵守劳动纪律，努力完成生产和工作任务；对职工进行爱国主义、集体主义、社会主义教育，民主、法制、纪律教育以及科学、文化、技术教育，提高职工的思想、道德和科学、文化、技术、业务素质，使职工成为有理想、有道德、有文化、有纪律的劳动者等。有利于提高劳动生产率和经济效益，有利于发展社会生产力和推动社会进步的活动，个人独资企业应当予以支持。个人独资企业发生停工、怠工事件，工会应当会同企业或者有关方面，协商解决职工提出的可以解决的合理要求，尽快恢复正常生产秩序。个人独资企业违反劳动法律、法规，侵犯职工合法权益的，工会有权要求企业予以纠正，并向有关部门提出处理意见，要求追究有关责任人员的责任。基层工会开展活动应当利用业余时间，需要占用生产或者工作时间的，应当事先征得企业同意。

第七条　在个人独资企业中的中国共产党党员依照中国共产党章程进行活动。

【释义】本条是对个人独资企业中的中国共产党党员依照中国共产党章程参加党的活动的规定。

为什么要在个人独资企业法中对个人独资企业中的中国共产党党员依照中国共产党章程进行活动作专门的规定，可以从以下几方面来理解：

一、我国目前尚处在社会主义初级阶段，解放和发展社会生产力仍然是我国长期和艰巨的任务。国家实行改革开放政策，目的之一是要解放和发展社会生产力。众所周知，新中国成立之后，在很长一段时期内，由于对我国基本国情认识不足，对什么是社会主义，如何建设社会主义以及我国处在社会主义什么阶段等基本问题缺乏正确的认识，致使在所有制关系方面出现某些政策偏差，盲目追求“一大二公”，使生产力受到破坏，严重影响了我国经济的发展。在此期间，国家曾几次就所有制关系作出政策调整，实践证明这样做是正确的。历史经验也说明，所有制关系的每一次“冒进”，给国家带来的是生产力破坏，经济衰退，人民生活水平下降；而所有制关系的每一次调整和完善，带来的则是生产力的迅速发展，经济的恢复和人民生活水平的提高。中国共产党第十五次全国代表大会把以公有制为主体、多种所有制经济共同发展的方针，升华为我国社会主义初级阶段的一项基本经济制度，明确非公有制经济是国民经济的重要组成部分，必将大大推进我国社会生产力的进一步解放和发展，同时也表明中国共产党对执行这一改革取向的坚定不移的决心。

二、从有利于解放和发展生产力，有利于增强我国综合国力，有利于提高人民生活水平的原则出发，一切符合上述原则的经营方式和企业形式，都应当大胆地为发展我国的社会生产力所用。个人独资企业是其中一种重要的企业形式，是社会主义市场经济主体的重要组成部分，它具有投资省，设立方便，经营灵活，易于创造就业机会等特点。国家通过立法赋予个人独资企业社会主义市场主体的法律地位，对鼓励个人投资，解放生产力，发展经济，增加财政收入，拓宽就业渠道，安置下岗职工，满足人民生活需要以及保障社会稳定，都具有重要作用。根据中国共产党第十五次全国代表大会精神和宪法、法律的规定，国家鼓励、引导个人独资企业健康发展，保护个人独资企业投资人和债权人的合法权益。个人独资企业这种企业形式将在我国长期存在下去。

三、中国共产党是中国工人阶级的先锋队，是中国各族人民利益的忠实代表，是中国社会主义事业的领导核心。中国共产党以马克思列宁主义、毛泽东思想、邓小平理论作为自己的行动指南。中国共产党在社会主义初级阶段的基本路线是:领导和团结全国各族人民,以经济建设为中心,坚持四项基本原则,坚持改革开放,自力更生,艰苦创业,为把我国建设成为富强、民主、文明的社会主义现代化国家而奋斗。中国共产党以全心全意为人民服务为宗旨,除了工人阶级和最广大人民群众的利益,没有自己的特殊利益。中国共产党在任何时候都把群众的利益放在第一位,同群众同甘共苦,保持最密切的联系,不允许任何党员脱离群众,凌驾于群众之上。中国共产党领导人民发展社会主义民主,健全社会主义法制,加强国家立法和法律实施工作,使国家各项工作逐步走上法制化轨道。党也必须在宪法和法律的范围内活动。

中国共产党党员是中国工人阶级的有共产主义觉悟的先锋战士,永远是劳动人民的普通一员,除了法律和政策规定范围内的个人利益和工作职权外,所有共产党员都不得谋求任何私利和特权。按照中国共产党章程的规定,党员必须履行下列义务:

(一)认真学习马克思列宁主义、毛泽东思想、邓小平理论,学习党的路线、方针、政策及决议,学习党的基本知识,学习科学、文化和业务知识,努力提高为人民服务的本领。

(二)贯彻执行党的基本路线和各项方针、政策,带头参加改革开放和社会主义现代化建设,带动群众为经济发展和社会进步艰苦奋斗,在生产、工作、学习和社会生活中起先锋模范作用。

(三)坚持党和人民的利益高于一切,个人利益服从党和人民的利益,吃苦在前,享受在后,克己奉公,多做贡献。

(四)自觉遵守党的纪律和国家的法规,严格保守党和国家的秘密,执行党的决定,服从组织分配,积极完成党的任务。

(五)维护党的团结和统一,对党忠诚老实,言行一致,坚决反对一切派别和集团活动,反对阳奉阴违的两面派行为和一切阴谋诡计。

（六）切实开展批评和自我批评，勇于揭露和纠正工作中的缺点、错误，坚决同消极腐败现象作斗争。

（七）密切联系群众，向群众宣传党的主张，遇事同群众商量，及时向党反映群众的意见和要求，维护群众的正当利益。

（八）发扬社会主义新风尚，提倡共产主义道德，为了保护国家和人民的利益，在一切困难和危险的时刻挺身而出，英勇斗争，不怕牺牲。

四、目前，我国有个人独资企业44万多户，从业人员数百万人，其中有不少共产党员，他们当中有的是个人独资企业的投资人，有的是个人独资企业委托或者聘用的负责个人独资企业事务经营管理的人员，有的是个人独资企业招用的职工。虽然他们在个人独资企业中的地位不同，但都是共产党员。按照中国共产党章程的规定，每一个共产党员，不论职位高低，都必须编入党的一个支部、小组或其他特定组织，参加党的组织生活，接受党内外群众的监督。不允许有任何不参加党的组织生活、不接受党内外群众监督的特殊党员。从全国的个人独资企业来看，其从业人员中共产党员的数量不算少，但就每一个具体个人独资企业来看，党员的数量是很少的，为了保证党员能够及时了解并认真贯彻落实党的路线、方针、政策和改革开放的措施，自觉遵守宪法、法律，维护改革开放成果，促进安定团结，要求个人独资企业中的中国共产党党员依照中国共产党章程进行活动，参加党的一个组织，接受党的教育，保持党员的本色，积极投身改革，为改革的深入、经济的发展、人民的幸福、国家的富强，在自己的工作岗位上做出应有的贡献，具有积极和深远的意义。

第二章　个人独资企业的设立

第八条　设立个人独资企业应当具备下列条件：

（一）投资人为一个自然人；

（二）有合法的企业名称；

（三）有投资人申报的出资；

（四）有固定的生产经营场所和必要的生产经营条件；

（五）有必要的从业人员。

【释义】本条是对个人独资企业设立条件的规定。

个人独资企业，作为我国立法规定的市场主体的一种，作为一种经营实体，其产生和设立也不能没有一定的条件和资格而随意设立。在本法制定以前，据国家工商局资料介绍，已有这样的企业形式但没有专门的立法规范，主要是沿用私营企业条例中的有关规定和参照个体工商户的有关规定予以登记管理。这些现行的规范不完整，不细密，规范的法律效力也不高。这次制定个人独资企业法，就是要解决本法立法宗旨中所说的规范个人独资企业的行为问题，所以本法在第二章第一个条文中就规定了个人独资企业的五个设立条件，从不同方面对个人独资企业的设立进行界定。这也是沿用我国公司企业类立法的做法和世界各国通行惯例而作出的规定。比如，我国公司法在第十九条对设立有限责任公司规定了五种条件，在第七十三条对股份有限公司的设立规定了六种条件。我国合伙企业法在第八条也规定了设立合伙企业的五种条件。下面分别对本条规定的五种条件给予分析。

第一个条件，个人独资企业的投资人为一个自然人。个人独资企业,顾名思义,是一个人投资的企业,没有与其他人合作投资或合伙投资的关系。作为企业的一种,要从事生产经营,开展各方面的业务,个人独资企业首先要有投资人,比如购买和租用场地需要投资,购买或者租用设备需要投资,购进原材料或用于销售的货物需要投资等。这种投资人,在有限责任公司和股份有限公司情况下,被称作股东。在合伙企业情况下,被称作合伙人。在本法规定的个人独资企业情况下,因为只有一个投资人,既不能称作股东,也不能称作合伙人,所以本条将其称为投资人,也就是通常所说的投入资金、实物或劳务技术开办实业的人。这种投资人的数量是一个。"人"作为法律主体,在法律上有自然人和法人之分。本条在界定投资人时,明确其是一个自然人,将法人和其他组织排除在投资人之外。根据我国民法通则的规定,自然人是我国民事法律活动的主体。有时将其与公民的概念混同使用。自然人享有民事权利能力和民事行为能力。前者是指民事主体具备享有民事权利和承担民事义务的资格。后者是指民事主体具备通过自己的行为取得民事权利、承担民事义务的资格。自然人的民事权利能力从出生时开始,到死亡时终止。自然人的民事行为能力根据年龄和智力状况的不同,分为完全民事行为能力人、限制民事行为能力人和无民事行为能力人三种。完全民事行为能力人能够通过自己的行为进行独立的民事活动并独立承担全部民事法律责任。限制民事行为能力人可以进行与他的年龄、智力和精神健康状况相适应的民事活动,其他的民事活动由他的法定代理人代理或者征得他的法定代理人的同意。无民事行为能力人不具有以自己的行为取得民事权利和承担民事义务的资格,由他的法定代理人代理民事活动。投资作为一种经济活动,自然人既可以自己独立进行,也可以通过他的法定代理人或经过他的法定代理人同意后进行。在代理人代理投资时,必须以被代理人的名义进行。

第二个条件,有合法的企业名称。个人独资企业名称是企业所享有的一种人格权，它必须依法确定，才能受法律保护。企业名称也是企业对外交往的标志。个人独资企业的名称也就是其作为经营实体对外交往的标志。在有的情况下，也将这种企业名称称作“商号”。对个人独资企业来说，有确定的企业名称十分必要。否则，对第三人而言，就很容易弄不清究竟是投资人个人的行为还是个人独资企业的企业行为。这正是本条规定的意义所在。个人独资企业有了自己的名称，随之而来的问题是这个名称是否合法。按我国有关企业名称登记管理的规定，企业名称在企业申请登记时，就由企业名称的登记主管机关核定，方可使用并在规定的范围内享有专用权。企业登记主管机关对企业名称实行分级管理，有权纠正已登记注册的不适宜的企业名称。企业只准使用一个名称，并且在登记主管机关辖区内不得与已登记注册的同行业企业名称相同或者近似。企业名称应当由以下几个部分组成：字号或者商号、行业或者经营特点、组织形式以及企业所在地省、市或县等行政区划名称（几类特殊企业除外）。企业名称中不得含有下列内容和文字：有损于国家、社会公共利益的；可能对公众造成欺骗或误解的；外国国家或地方名称及国际组织名称；政党名称、党政军机关名称、群众组织名称、社会团体名称及部队番号；汉语拼音字母和数字及其他法律、行政法规规定禁止的名称。除几类特殊企业外，其他企业不得在企业名称中使用“中国”、“中华”或“国际”等字词。企业不得随意在其名称中使用“总”字。违反这些规定的要负法律责任。个人独资企业在申请登记自己的名称时，应当遵守这些规定。本法第十一条还规定，个人独资企业的名称应当与其责任形式及从事的营业相适应，也是一条限制。

第三个条件，有投资人申报的出资。个人独资企业作为一个生产经营性实体，从事的是经济活动，投资人又只有一个，投资人是一定要投入相当的人、财、物等生产要素的。所以这一条规定了投资人的出资事项，并进而要求投资人申报。具体数量多少，本条未涉及,这与其他相同性质的法律比如公司法和合伙企业法等大不相同,主要考虑的是个人独资企业大多数是小型企业,要照顾其灵活性而在法律上作出特别处理。一般认为,按我国现行管理体制,个人独资企业投资人应当向各级企业登记主管机关申报其出资,具体申报的出资数量在本法中未作规定。

第四个条件,有固定的生产经营场所和必要的生产经营条件。个人独资企业与其他企业一样,既然要进行生产经营,就需要一定的场地设施,也要具备必要的生产经营设施,比如机器设备、营销柜台等。这里只是强调生产经营场所是“固定的”,是指在相同的比较固定的地点,提供相应的服务或商品,目的当然是为了区别于行商游贩、走街串巷叫卖的小本生意人。原因是清楚的,既然称作“企业”,指的应该是一个经营实体,从事特定的生产经营活动。当然,这里的“固定的”也应作较为宽泛的理解,既可以考虑时间长短的因素,也可以考虑地点相对固定的因素。

第五个条件,有必要的从业人员。根据本法第六条的规定,个人独资企业可以依法招用职工。根据本法第十九条的规定,个人独资企业投资人可以自行管理企业事务,也可以委托或者聘用其他具有民事行为能力的人负责企业的事务管理。这里的从业人员,应作较为宽泛的理解,在依本法第六条招用职工和第十九条聘用其他管理人员的情况下,只要个人独资企业投资人也从事业务活动,也应理解为从业人员;在没有招用和聘用其他人员的情况下,独资企业投资人自己从事业务活动,也说明该个人独资企业具备了“有必要的从业人员”的条件。当然,本法有关依法保护除个人独资企业投资人以外的从业人员的合法劳动权益的条款,属于另一类范畴,比如劳动保护和合同利益等。这里只是强调了作为设立个人独资企业的条件之一,个人独资企业应有必要的从业人员,应该包括个人独资企业投资人本人。

总之,在我国境内设立个人独资企业,要依本条的规定具备上述条件。在考虑这些设立条件时，本法主要着眼于个人独资企业的投资人数少、规模小、营业范围广泛、投资少、便于安置更多的就业人员这样几种情况，从灵活性的角度出发，提出了本条的五个设立条件。相对于公司法和其他企业类立法的规定而言，条件要宽松和灵活得多。比如在第（三）项出资条件上，就没有规定出资数额下限，在第（五）项对从业人员也没有提出人数下限，都是从灵活设立、方便设立的原则出发，适当放宽条件，鼓励公民个人投资设立个人独资企业，将有限的资金、资源和劳动力尽快投入生产经营，推动国民经济和各项事业的发展，是从我国是一个发展中的人口大国的国情出发作出的安排。在制定本法时，也有一些意见提出，应当规定最低出资数额等比较明确的杠杆，便于企业登记管理机关掌握，但是未予采纳。一是我国各地发展不平衡，难以确定一个合理的数额；二是个人独资企业所涉及行业五花八门，难以确定具体数额；三是规定了具体的数额，以后情况变化了也不能用，所以本条未作规定，体现灵活设立和方便设立的原则、精神。

第九条　申请设立个人独资企业，应当由投资人或者其委托的代理人向个人独资企业所在地的登记机关提交设立申请书、投资人身份证明、生产经营场所使用证明等文件。委托代理人申请设立登记时，应当出具投资人的委托书和代理人的合法证明。

个人独资企业不得从事法律、行政法规禁止经营的业务；从事法律、行政法规规定须报经有关部门审批的业务，应当在申请设立登记时提交有关部门的批准文件。

【释义】本条是对申请设立个人独资企业时应提交有关文件的规定。

本条共分两款。

第一款规定，申请设立个人独资企业的申请人应该是投资人或其委托的代理人。申请投资设立企业是一种民事活动，既可以由投资人本人完成,也可以由其委托的代理人完成。按我国民法通则的规定,代理是指代理人在代理权限内以被代理人的名义实施民事法律行为,由此产生的法律后果由被代理人承担。公民法人都可以通过代理人实施民事法律行为。代理的适用范围比较广泛,主要有代理买卖、租赁、接受赠与,代理纳税,代理办理商标注册和公司企业登记以及代理诉讼等。代理一般有委托代理、法定代理和指定代理等。本条所规定的代理是指委托代理,是根据被代理人的委托而产生的。不论是投资人本人还是代理人申请设立个人独资企业,都应向个人独资企业所在地的登记机关提交设立申请书、投资人身份证明和生产经营场所证明等文件。所谓设立申请书是指表明投资人希望设立个人独资企业意向的书面文件;投资人身份证明一般指国家统一颁发的身份证或户口证件,用以证明投资人的实际身份;生产经营场所使用证明一般是指房地产权利证书、场地使用证书、租用合同或摊位许可经营证件等。有了这三种证件,就可证明什么人在何地有意开办个人独资企业,企业登记机关就有了基本的依据。在委托代理人申请设立登记时,依照我国民法通则的规定,代理人在履行委托代理活动时,还应当出具授权委托书,也就是本条所说的委托书,证明其确有代理他人申请设立个人独资企业的权限,同时,还要出具代理人本人(不论是个人或是法人)的合法证明,包括法人营业执照或个人身份证明等。上述这些证件都应按照要求向个人独资企业所在地登记机关提交。个人独资企业所在地一般是指主要办事机构所在地或固定的生产经营场所所在地。一般来说,与一个公司企业所在地有关的地点包括公司企业设立地、固定的生产经营场所所在地、主要办事机构所在地和主营业所在地等,结合本法第三条对个人独资企业住所的界定,考虑到个人独资企业开办之初的实际情况以及我国对小型企业登记管理的实际现状,将个人独资企业所在地界定在固定的生产经营场所所在地或主要办事机构所在地比较好,一般个人独资企业开办之初，生产经营场所所在地大部分情况下与主要办事机构所在地或主营业地也重合，这样界定，与本法第八条第（四）项也相吻合。至于登记机关的级别管理，按照国家工商行政管理机关的有关规定执行就可以了。

本法第二款的规定，是对个人独资企业所从事的生产经营业务范围的界定。按我国有关法律、行政法规的规定，有的行业不允许个人投资经营，比如金融行业、卷烟制造行业等，在本条第二款首先禁止，个人就不能申请开办从事这方面生产经营的个人独资企业。对有的行业需要经过有关部门审批之后才能经营，比如经营音像制品或印章制作等特种行业，只要法律、行政法规有规定，在申请设立登记时就应事先提交有关部门的批准文件，也就是先获得许可方可申请设立这一行业的个人独资企业。

第十条　个人独资企业设立申请书应当载明下列事项：

（一）企业的名称和住所；

（二）投资人的姓名和居所；

（三）投资人的出资额和出资方式；

（四）经营范围。

【释义】本条是对个人独资企业设立申请书载明事项的规定。

个人独资企业设立申请书作为申请设立个人独资企业的必备文件，向个人独资企业所在地的登记机关提交，应当能够反映申请设立人的基本情况和真实意愿。本条规定了其法定内容，共有四项。

第一项是企业的名称和住所。企业的名称是一个企业对外交往的标志，本法第八条和第十一条提出了原则要求，有关行政法规和规章也有具体的要求，在本条文规定情形下，个人独资企业设立申请书中的名称，还只是个人独资企业的申请设立人的意向，还未经过企业登记机关的批准，为尽快取得批准，申请设立人应当依照有关的规定,选择避开不合法和不适宜的名称。企业的住所,也就是个人独资企业从事生产经营及其他活动的地方,按本法第三条的规定,指其主要办事机构所在地。这是个人独资企业开展业务,对外联系业务的地址和场所,也是企业订立合同、履行合同和开展其他业务的重要法律因素。申请设立人应根据自己的意愿,按照实际情况和开展业务活动的要求,在手续完备的情况下,如实填写,不具备相应的手续,比如不具有房地产权利证书等,不能弄虚作假,否则要负法律责任。这一项中的名称和住所两项,作为一种民事活动,首先由当事人自愿决定,自愿选择;同时要实事求是,如实填写;最后要合法,即符合法律、法规和规章的有关规定。

第二项是投资人的姓名和居所。个人独资企业与其他企业一样,也需要有人投资开办,这里的投资人的姓名,也就是有意愿开办个人独资企业的人的姓名,要如实填写,不能弄虚作假。因为,个人独资企业投资人对外要最终承担起该企业的无限责任,而一个人的姓名又是其对外交往的主要标志,所以强调其真实性尤其必要。一般说,应以其身份证件或户口证件上的姓名为准,在与他人重名的情况下并要参照其出生年月确定。不能冒名顶替,也不能用假姓名,否则要负法律责任。投资人的居所,是一个与住所既有联系又有区别的法律概念。按我国民法通则的有关规定,公民长久居住的场所是他的住所,住所只能有一处,根据其户籍所在地、经常居住地或监护人的住所等情况确定。而投资人的居所可能是其住所也可能不是,而且也可能不止一个,个人独资企业投资人根据其开展企业活动的方便和实际要求,如实申报填写,根据情况可以填写其中的一个和几个,也可以全部填写。但对与开展个人独资企业业务有关的居所一定要按照要求如实填写。

第三项是投资人的出资额和出资方式。在本法第八条第(三)项中,法律对设立个人独资企业的条件规定了应该有投资人申报的出资。但既未指明具体数额,也未规定具体数额的上下限。

本条又规定，个人独资企业设立申请书中应当载明投资人的出资额和出资方式，是指个人独资企业投资人为了自己的企业业务得以开展而申报的出资额和出资方式。本法本条并未规定具体的数额和具体数额的上下限，考虑到个人独资企业的营业范围、规模和经营形式多种多样，投资人的情况也各不相同，本法是有意采取灵活的方式，由个人独资企业投资人根据自己的情况申报出资额，各级企业登记主管机关如果有意作出有关具体数额和具体数额上下限的规定，也应充分考虑本法的灵活性规定的精神作出安排，不能违背法律精神。出资方式一般是指以现金、厂房、土地使用权、机器设备或知识产权等作为出资，本条要求在个人独资企业设立申请书中如实载明。

第四项是经营范围。也就是个人独资企业所要从事的行业和项目的种类。根据本法第九条第二款的规定，个人独资企业不得从事法律、行政法规禁止经营的业务，从事法律、行政法规规定须报经有关部门审批的业务，应当在申请设立登记时提交有关部门的批准文件。个人独资企业投资人要执行这些规定，在设立申请书中依法确定企业的经营范围。不能申请法律、行政法规禁止经营的业务，也不能申请须经有关部门审批而未获批准的业务。

第十一条　个人独资企业的名称应当与其责任形式及从事的营业相符合。

【释义】本条是对个人独资企业名称要求的规定。

本法第八条第（二）项在规定个人独资企业应当具备的条件时，强调个人独资企业要有合法的企业名称。本条又进一步对个人独资企业的名称提出要求，即应当有两个“相符合”，一是个人独资企业的名称应当与其责任形式相符合；二是与其从事的营业相符合。

首先，个人独资企业的名称要与其责任形式相符合。在本法

第二条中，个人独资企业被界定为依照本法在中国境内设立，由一个自然人投资，财产为投资人个人所有，投资人以其个人财产对企业债务承担无限责任的经营实体。企业的责任形式是指投资人对企业是负有限责任还是无限责任，在本法界定个人独资企业为无限责任的情况下，即表明投资者对由其投资经营的活动或由其投资组成的企业所生债务，承担全部、无限清偿责任，而不以其投入的某特定财产为限。对负无限责任的企业的名称，各国都有法定的特别要求。比如，不得有"有限""有限责任"等字样，以免使相对人产生误解，损害他人合法利益。但对是否在个人独资企业名称中特别标明是个人独资企业或者标明负无限责任，本法本条并未提出特别要求。在这种情况下，个人独资企业名称中只要不含"有限""有限责任"等字样，就说明符合本条规定，其名称与其责任形式相符合。

其次，个人独资企业的名称要与其从事的营业相符合。这一条规定，含有几个方面的内容：一是个人独资企业名称要与其从事的营业性质相符合。不能将法律、行政法规禁止经营的业务作为自己的业务范围，不能将未获有关部门审批经营的业务作为自己的业务范围在名称中加以标榜。二是个人独资企业名称要与其从事的营业范围相符合。比如明明是从事玩具汽车生产的企业，而在企业名称中冠以汽车生产厂家的名称，是不允许的。三是个人独资企业的名称要与其从事的营业的地域范围相符合。比如，明明是一个门脸很小的企业，而在其企业名称中冠以"中国""国际""全国""国家"等字样，是不允许的。也不得随便在其名称中冠以行政区划。总之，是不允许在其名称中标明与其从事的营业不相符合的、容易造成他人误解的文字内容。

必须说明的是，因为个人独资企业是一个自然人投资的企业这种特殊情况，不论其规模大小、发展程度如何，考虑到个人独资企业与投资人身份容易重合，而且投资人承担的是无限责任，所以很容易给其他人造成误解，本法本条才作出了这样的对其名称加以限定的规定。

第十二条 登记机关应当在收到设立申请文件之日起十五日内，对符合本法规定条件的，予以登记，发给营业执照；对不符合本法规定条件的，不予登记，并应当给予书面答复，说明理由。

【释义】本条是对登记机关如何处理个人独资企业设立申请文件的规定。

登记机关收到个人独资企业的设立申请文件，证明个人独资企业的投资人已表明了自己的意愿，提出了自己的设立申请。作为政府主管部门的企业登记主管机关，在接到设立申请文件之后，要根据本法进行审查，审查的期限在本法的规定是十五天，相对其他类型的公司企业而言，时间要短得多，主要是从方便设立简化程序的原则出发的。这就要求企业登记机关要从实际出发，从法律规定的灵活性的原则精神出发，按照本法第八条规定的比较宽松的条件，在规定的期间内对所提申请及所附文件进行审查，进行必要的查验，符合本法第八条规定的条件的，应当予以登记，发给营业执照，个人独资企业就可以开始生产营业了。如果企业登记机关延误了法律规定的期限，给当事人造成损失，要承担相应的法律责任。

企业登记机关按照本法第八条规定的五项条件进行审查，如果发现当事人的申请文件及所附证明不符合法律规定的要求，当然首先是不能登记。其次是本法规定的另一个程序，应当给予书面答复，说明理由。所谓书面答复、说明理由，是指以企业登记机关的名义，按照法律规定的条件，对个人独资企业设立申请人提出的申请不予登记的理由的书面说明，既要引述相应法律条文，也应指出申请文件及所附证明不符合法律规定的具体情况，也就是指明作出不予登记的具体行政行为的事实理由和法律依据。并应加盖企业登记机关的印章。对作出书面答复说明理由的期限本条没有作出规定,考虑到本条规定的登记期限为十五日,为保护个人独资企业设立申请人的合法权益,作出书面答复说明理由的期限也应该是在十五日之内。也就是说在作出不予登记决定的期间的同时应作出书面答复说明理由。这也符合一般行政法律的原则。

按照我国行政复议法和行政诉讼法的有关规定,当事人对企业登记机关作出的不予登记的决定可以依法提起行政复议或行政诉讼。

第十三条 个人独资企业的营业执照的签发日期,为个人独资企业成立日期。

在领取个人独资企业营业执照前,投资人不得以个人独资企业名义从事经营活动。

【释义】本条是对个人独资企业成立日期及其法律效力的规定。

本条共分两款。第一款是对成立日期的规定。个人独资企业虽然不是法人,但同其他公司企业一样,是一个经营实体,也有自己独立的市场主体地位。法律规定了其成立日期,则自其成立之日起,才可以开始生产经营活动,该成立日期即成为个人独资企业的诞生之日。该成立日期以个人独资企业的营业执照签发日期为准。按本法第十二条的规定,登记机关应当在收到设立申请文件之日起十五日内,对符合本法规定条件的,予以登记,发给营业执照。营业执照的签发日期是指企业登记机关在个人独资企业营业执照上署名并加盖印章的当日的日期。企业登记机关对企业各主要事项所作登记同时具有法律效力,对个人独资企业具有约束力。个人独资企业未经变更登记,不得擅自改变登记的主要事项,也不得以此对抗善意第三人。个人独资企业营业执照一般应当载明营业执照类别、序号、企业的名称和住所、投资人的姓名和居所、投资人申报的出资额和出资方式、经营范围、发照机关、发照日期等事项，是个人独资企业开展生产经营活动和对外开展业务的主要法律文件。

本条第二款，是一个限制性条款，强调个人独资企业营业执照的法律效力。在领取个人独资企业营业执照之前，个人独资企业还未合法存在更未合法成立，任何人都不能以该不存在的个人独资企业的名义从事经营活动，投资人也不得以个人独资企业的名义从事经营活动。本条特别强调这一点，有利于维护社会经济秩序，有利于保护社会公众的利益。

第十四条　个人独资企业设立分支机构，应当由投资人或者其委托的代理人向分支机构所在地的登记机关申请登记，领取营业执照。

分支机构经核准登记后，应将登记情况报该分支机构隶属的个人独资企业的登记机关备案。

分支机构的民事责任由设立该分支机构的个人独资企业承担。

【释义】本条是对个人独资企业分支机构的规定。

本条共分三款，分别规定了有关个人独资企业分支机构的设立申请登记、登记后的备案和分支机构民事责任承担的问题。

从本法第二条对个人独资企业的界定可知，本法所界定的个人独资企业由一个自然人投资，财产为投资人个人所有，由此而来的企业债务的责任承担也就不仅仅是由个人独资企业承担，而是由投资人个人以其个人财产承担无限清偿责任。这是个人独资企业的基本特性。与本条有关的问题是，这样一种类型的企业，有没有设立分支机构的必要性和可能性，设立了分支机构之后如何管理。立法过程中也有人提出这样的问题。首先，从必要性方面来看，个人独资企业虽然只有一个投资人，开始的规模可能很小，但并不妨碍其在一段时间后扩大规模,有设立一个或多个分支机构的必要,国内国外都有这方面的先例。所以法律要给这样的企业设立分支机构留一个余地并有所规范。其次,从可能性方面来看,随着市场经济的发展和经济全球化趋势的加强,物资和信息的流通范围会越来越广,其速度也会越来越快,现在已见端倪的家庭办公和网上交易,就是十分明显的例证。一个自然人投资兴办的个人独资企业,其主要办事机构可能在北京,其供货中心可能在上海,其生产中心可能在西安,其研究发展中心可能在深圳等。不论是生产型企业、营销型企业或高科技型企业,都可能出现这种情况。国际上发展很快的企业生产经营的分包方式也代表了这种趋势。所以,我国的个人独资企业法考虑到这种可能性,允许个人独资企业设立分支机构,而且也没有限制设立分支机构的数量。最后,最主要的一点,由于个人独资企业与投资人本人财产不可分性这一特点,在管理上要有几条规则,以使得个人独资企业的债权人和社会公众的合法权益受到法律保护。本条在第三款规定了一个原则,即分支机构的民事责任由设立该分支机构的个人独资企业承担。

本条第一款,规定个人独资企业设立分支机构,应当由何人向何处申请登记,办理何种手续。在本款规定的情况下,与个人独资企业的设立一样,由个人独资企业的投资人或者其委托的代理人申请登记。因为一个企业设立分支机构,本质上仍然是民事行为,个人独资企业没有法人资格,而设立分支机构又是属于对外投资这样的重大经济活动,只能由投资人承担最后的无限责任。所以本条规定由投资人或者其代理人申请登记,而不能由个人独资企业作为一个主体来申请登记,这一点与其他类型的公司企业有重大区别。主要原因是权利与责任相对应。个人独资企业的无限责任由投资人承担,所以,对外投资设立分支机构这样的重大经济活动也要由投资人来完成。主管这一活动的应当是何地的企业登记机构，又是一个重大问题，一般来说，有两个主管机关所在地可以选择，一个是个人独资企业总部所在地，一个是分支机构所在地，前者掌握该个人独资企业的全部情况，而后者又便于掌握分支机构，本条选择了分支机构所在地的企业登记机关办理个人独资企业的分支机构的登记事宜。主要还是从方便设立，便于管理，有利于搞活这样一些原则作出的安排。在立法时也有人提出，个人独资企业分支机构的申请设立人先在总部所在地取得证明再去分支机构所在地办理申请登记。本法未予采纳，原因是责任最终仍由投资人承担，为方便设立，直接在个人独资企业分支机构所在地的登记机关申请登记即可。最后，本条规定了个人独资企业的分支机构仍然需要领取营业执照，是比较关键的一点，领取了营业执照才能开始营业，也与其所属的个人独资企业总部的经营活动区别得开，只是由个人独资企业投资人承担无限责任，在这一点上是共同的。

本条第二款规定了一个备案制度。分支机构在其设立地登记机关核准登记后，应将登记情况报该分支机构隶属的个人独资企业的登记机关备案。所谓备案，是指报告备查、告知、存留档案等。是属于事后的程序，是一个备忘录性质的程序，具体有什么作用，只能从一般事理上去判断。比较明显的作用是，使个人独资企业的登记机关了解该个人独资企业投资人的生产经营活动，将来承担无限责任时有一个依据。由谁来办理备案，本条没有作出规定，有两种选择，一个是分支机构的登记机关，一个是个人独资企业的投资人或其代理人，将来只能由国家有关企业登记主管机关去作规定了。

本条第三款规定了分支机构的民事责任的承担问题。所谓民事责任是指违反合同或其他民事义务应负的法律责任。与刑事责任、行政责任不同，一般具有补偿性；一般以损失填补和恢复原状为原则；补偿归受害人；国家不干预，当事人可以在除法律规定之外自由处分。民法通则第一百零六条规定:公民、法人违反合同或者不履行其他义务的,应当承担民事责任;公民、法人由于过错侵害国家的、集体的财产,侵害他人财产、人身的,应当承担民事责任;没有过错,但法律规定应当承担民事责任的,应当承担民事责任。按照本法第二条的规定,个人独资企业投资人以其个人财产对企业债务承担无限责任。对于个人独资企业的分支机构的民事责任,本款界定为由个人独资企业承担,也就是说,当分支机构的财产不足以承担民事责任时,由设立分支机构的个人独资企业承担,个人独资企业的债务的无限责任又是最终由投资人以个人财产承担的,所以说,个人独资企业的分支机构的民事责任最终仍然是由投资人以个人财产承担的。

第十五条 个人独资企业存续期间登记事项发生变更的,应当在作出变更决定之日起的十五日内依法向登记机关申请办理变更登记。

【释义】本条是对变更登记的规定。

个人独资企业在存续期间登记事项发生变更,是指个人独资企业继续存在,继续在生产经营,没有撤销、清算、歇业和破产等情况,只是登记事项发生变更,比如企业的名称和住所发生变化,投资人的姓名和居所发生变化,投资人的出资额和出资方式发生变化,经营范围发生变化,生产经营场所发生变化等,应当办理变更登记。对于个人独资企业的财产所有人即投资人发生变化,不论是因死亡后的财产继承或因转让财产权的原因,导致投资人的变更,虽然个人独资企业本身没有其他变化,个人独资企业新的投资人也未申请撤销原个人独资企业,也应视作登记事项变更。即仅对投资人予以变更,也应依法办理变更登记手续。其他事项同时变更的,同时予以变更。

变更决定作出之日起十五日之内就要申请办理变更登记,时间比较短,个人独资企业及其投资人应当依法向登记机关办理变更登记。所谓依法,在期限上有要求,在本条规定为十五天。有具体向哪一个登记机关申请办理变更登记的要求,按本法规定,应向个人独资企业所在地或个人独资企业分支机构所在地的登记机构申请办理变更登记。有由谁办理申请变更登记的要求,本法规定由投资人或其委托的代理人申请办理。有提交申请文件方面的要求,如本法第九条规定的申请文件。有本法规定的条件的限制,如本法第八条、第十一条和第十二条的要求等。符合本法各项规定的,登记机关在十五日内办理变更登记。

第三章　个人独资企业的投资人及事务管理

第十六条　法律、行政法规禁止从事营利性活动的人，不得作为投资人申请设立个人独资企业。

【释义】本条是对个人独资企业投资人的消极资格的规定。

在社会生活中，人们为了谋求利润而从事的商品生产和商品交换活动，就是营利性活动，企业的生产经营活动一般都属于营利性活动，个人为谋求自身的经济利益而进行的生产经营活动，也属于营利性活动。人们进行营利性活动，出发点同时又是最终目标，即利用所掌握的经济资源，以最小的投入为自己最大限度地获取利润。在市场中，利润能不能实现，利润的大小，取决于人们提供的商品是否符合市场的需要，并最终为消费者所购买。于是，为了实现利润，从事营利性活动的人们就必须积极采取措施，尽可能地减少耗费，降低成本，按照市场的需要提供各种商品。从这一点看，营利性活动能够使人在自身利益的驱动下，注意提高经济效益，不断提供满足市场需求的商品，其结果对于促进经济发展是有积极意义的。从这个意义上说，营利性活动是一种积极的、有益的经济活动，是社会和经济发展所需要的。但是，对营利性活动不能放任，毫无制约，否则也会给社会和经济带来消极的有时甚至是有害的影响。比如，在营利性活动中，不择手段牟取暴利的行为，垄断经营的行为，以假冒伪劣商品欺骗消费者的行为，低价倾销的行为，等等，都会损害消费者的利益，扰乱市场秩序，影响经济健康发展,对这些行为是应当制止的。因此,在有关的法律、行政法规中,分别从不同角度对营利性活动的范围、方式以及从事营利性活动的人员的资格等,作出了相应的限制。按照现行法律、行政法规的规定,禁止从事营利性活动的人员主要是国家公务员,包括行政机关公务人员和司法人员,具体有:法官法第三十条第(十一)项规定,法官不得从事营利性的经营活动;检察官法第三十三条第(十一)项规定,检察官不得从事营利性的经营活动;人民警察法第二十二条第(十)项规定,人民警察不得从事营利性的经营活动;公司法第五十八条规定,国家公务员不得兼任公司的董事、监事、经理;《国家公务员暂行条例》第三十一条规定,国家公务员必须严格遵守纪律,不得有经商、办企业以及参与其他营利性的经营活动的行为。法律、行政法规禁止上述人员从事营利性活动主要是由于这些人员因承担法律职责而拥有相应的监督管理权或检察权、审判权、处罚权等,这些权力是用以维护社会经济秩序、维护国家利益和社会利益的手段,要防止这些权力被个人用来谋取私利。禁止国家公务人员从事营利性活动,有利于避免商品交换的原则侵入国家机关而影响公务活动,防止以权谋私、权钱交易等腐败现象的发生,也有利于保持国家机关的清正廉洁,保证国家公务人员公正地履行职责,维护规范的社会主义市场经济秩序。

一个人投资设立个人独资企业,就是要从事生产经营活动获取利润,当然属于营利性活动,因此,投资设立个人独资企业也不得违反法律、行政法规关于有关人员禁止从事营利性活动的规定。但是考虑到个人独资企业的特点,它是由一个自然人出资设立,出资多少不受法律限制,一般都是规模较小,设立手续简便,经营灵活,又具有方便群众生活,吸纳劳动力,可以为下岗职工提供就业机会等优势,所以,从有利于个人独资企业发展出发,对个人出资设立个人独资企业,法律上除作必要的限制外,条件规定得比较宽松,对于投资人的范围,本条仅作了必要的限制,即法律、行政法规禁止从事营利性活动的人，不得作为投资人申请设立个人独资企业。根据本条规定，凡是法律、行政法规禁止从事营利性活动的人，都不得作为投资人申请设立个人独资企业，从现有法律规定看，主要是法官、检察官、人民警察以及其他国家公务人员、现役军人等，不得作为投资人申请设立个人独资企业；除此以外，也就是不属于法律、行政法规禁止或者限制从事营利性活动的人员，都可以作为投资人申请设立个人独资企业，如农村村民、城镇待业人员、个体工商户经营者、自由职业者等，都可以投资设立个人独资企业，从国家机关辞职、退职人员和离休、退休人员，也可以申请设立个人独资企业。

第十七条 个人独资企业投资人对本企业的财产依法享有所有权，其有关权利可以依法进行转让或继承。

【释义】本条是对个人独资企业财产归属关系的规定。

企业进行生产经营，一般都需要有一定的财产如资金、设备、场地等作为物质基础，公司、合伙企业如此，个人独资企业也不例外。个人独资企业的财产，从来源看，与公司、合伙企业是一样的，主要由两部分构成，一部分是投资人在设立企业时投入的财产，也就是投资人的出资，另一部分是个人独资企业在经营过程中积累起来的财产。在个人独资企业依法设立后和从事生产经营的过程中，基于这些财产必然会形成个人独资企业的财产关系，从法律意义上看，这些财产关系又体现为一种以财产为内容的权利义务关系。明确个人独资企业财产的法律性质，确定这些财产的归属，从而确定个人独资企业的基本权利和义务，对于确立个人独资企业这种企业形态的法律地位，使个人独资企业的财产关系秩序化、稳定化，最大限度地发挥这些财产的经济效用，具有非常重要的意义。财产归属关系，在法律上必须通过财产所有权制度来实现，因此，本法对个人独资企业财产的所有权作出了规定。

本法第二条在规定个人独资企业法的调整范围,对个人独资企业进行界定时,对个人独资企业财产的归属关系即作了规定,这就是:本法所称个人独资企业,是指依照本法在中国境内设立,由一个自然人投资,财产为投资人个人所有,投资人以其个人财产对企业债务承担无限责任的经营实体。这一规定表明,个人独资企业的财产为投资人个人所有,这是个人独资企业的一个基本法律特征,反映了个人独资企业的性质,决定了个人独资企业的法律地位。正是因为个人独资企业的财产为投资人个人所有,由投资人支配并享受其利益,企业本身没有独立的或者相对独立的可供支配的财产,所以,个人独资企业不具有法人资格,是自然人企业,它在法律上的主体资格仍然为自然人,即投资人个人是拥有个人独资企业财产权利并承担个人独资企业财产责任的主体。凡是个人独资企业,企业的财产就归投资人个人所有,这是个人独资企业的一个必要特性,企业的财产归属关系不具有这一特性,就不属于个人独资企业。

本条在本法第二条规定的基础上,对个人独资企业的财产所有权又进一步作出明确具体的规定,这就是,个人独资企业投资人对本企业的财产依法享有所有权。按照民法通则第七十一条规定,财产所有权是指所有人依法对自己的财产享有占有、使用、收益和处分的权利。因此,个人独资企业财产所有权制度包含如下内容:其一,个人独资企业财产所有权的主体是个人独资企业投资人,也就是说,个人独资企业投资人是本企业财产的所有人,个人独资企业的财产属于其投资人的个人财产,二者在法律上没有界限。其二,投资人作为财产所有人对本企业的财产享有占有、使用、收益和处分的权利,这种权利是一种充分完整的支配权,投资人在不违反法律的前提下,可以按照自己的意志控制支配个人独资企业的财产,其对本企业财产的支配权是不受限制的。其三,个人独资企业投资人在法律许可的范围内可以自主自愿地对本企业的财产行使占有、使用、收益、处分的权利，从而直接取得物质利益，任何人都不得对投资人正当行使这种支配权加以妨碍或者干涉。其四，当个人独资企业的财产受到非法侵犯也就是个人独资企业投资人的个人的财产受到侵犯时，或者当投资人对个人独资企业财产行使支配权受到他人妨碍时，投资人有向侵犯其财产或者妨碍其行使权利的人提出追索、排除妨碍等请求权。

财产所有权的取得，不得违反法律规定，没有法律根据或者违反法律规定而取得的财产，是非法取得，不能形成非法的所有权。因此，个人独资企业投资人对本企业财产的所有权也必须是依法取得的，换句话说，只有依法取得的个人独资企业财产，才能形成个人独资企业投资人的财产所有权。在实践中，个人独资企业投资人对本企业财产的所有权主要通过以下四种方式取得：(1)投资人直接进行劳动，从事生产经营，创造出财富，并取得其财产所有权；(2)因收取孳息而取得财产所有权；(3)因添附财产而取得所有权；(4)继受取得财产所有权。

个人独资企业投资人可以依照法律实现他对个人独资企业财产的占有、使用、收益、处分的权利，这就是行使财产所有权。投资人行使财产所有权，可以是在事实上占有、使用、收益和处分个人独资企业的财产，也可以是按照法定方式将其财产所有权的部分权能分离或转让出去，由他人行使，还可以将财产所有权转让或赠与他人。在多数情况下，投资人都无需借助他人的行为，就可以独立地行使其对个人独资企业的财产所有权。

在个人独资企业的生产经营过程中，投资人将财产所有权的一项或几项权能分离或转让出去，又会形成其他一些以使用收益财物为目的的财产权，如财产使用权、企业经营权、承包权、采矿权、相邻权、共有权等。这些权利都来源于财产所有权，是所有权派生的权利，因而也是与所有权有关的权利。为了保障这些财产权利的实现，保护个人独资企业投资人和债权人的合法权益，促进个人独资企业的生产经营,本条明确规定了个人独资企业财产所有权的有关权利可以依法进行转让或继承。

第十八条　个人独资企业投资人在申请企业设立登记时明确以其家庭共有财产作为个人出资的,应当依法以家庭共有财产对企业债务承担无限责任。

【释义】本条是对个人独资企业无限责任的特别规定。

在我国实际生活中,由于多种原因,在相当一部分家庭中,人们的个人财产与家庭财产是不作明确划分,也难以划分清楚的,家庭成员的财产一般都是以家庭共有财产的形式存在着。一些个人独资企业的投资主体是一个自然人,但投资人设立企业用作出资的财产实际上是家庭共有财产,个人独资企业的生产经营收益也都为投资人的家庭成员所共同享有。在这种情况下,当需要对个人独资企业的债务承担财产责任时,只是以一部分家庭财产作为投资人个人财产,对个人独资企业债务承担无限责任,对投资人来说,就会造成事实上的权利义务不平等,在一定程度上也规避了一部分财产责任。针对我国存在的这种实际情况,在本法第二条规定的个人独资企业投资人以其个人财产对企业债务承担无限责任的基础上,本条又对投资人承担无限责任的财产范围作出了特别规定,这就是,个人独资企业投资人在申请企业设立登记时,明确以其家庭共有财产作为个人出资的,应当依法以家庭共有财产对企业债务承担无限责任。

本条规定具体有以下几层含义:第一,从法律上肯定了由一个自然人设立的,以其家庭共有财产作为个人出资,并且以投资人的家庭共有财产对企业债务承担无限责任的个人独资企业的存在。第二,本条规定的情形,是个人独资企业的特殊情形,属于这种情形的个人独资企业在形式上仍然具有个人独资企业的最主要的、最基本的特征,即投资主体是一个自然人,投资人对企业债务承担无限责任,而本条规定的个人独资企业与一般意义上的个人独资企业相比较其特殊性在于,本条规定的个人独资企业投资人用以对企业债务承担无限责任的财产范围不限于是投资人的个人财产,而是投资人的家庭共有财产;在实际承担企业债务责任时,不必要也不应当将投资人的个人财产从其家庭共有财产分离出来,而应当直接以投资人的家庭共有财产清偿企业债务。第三,确定个人独资企业投资人应以其家庭共有财产承担无限责任的前提是,该投资人在向登记机关申请设立个人独资企业时明确是以其家庭共有财产作为个人出资,也就是说,投资人是否以家庭共有财产承担责任,取决于他在申请企业设立登记时是否明确自己是以家庭共有财产作为个人出资的。如果投资人在向登记机关申报出资时,没有说明是以家庭共有财产出资,就不能要求投资人以其家庭共有财产承担无限责任。第四,投资人应当在申请设立个人独资企业时,向登记机关明确是否是以家庭共有财产作为个人出资。用作投资人出资的财产的性质,应当在申报出资时加以明确,否则事后认定非常困难,不利于债务责任的及时履行。至于投资人应当在设立申请书还是在其他设立申请文件中对出资的情况加以明确,法律上未作规定,可以由登记机关在实际执行中根据需要作出具体规定。这里需要注意一点,个人独资企业投资人如果明确了是以家庭共有财产作为个人出资,应当将这一情况在有关登记申请文件中载明,以作为将来投资人履行企业债务责任的依据。第五,个人独资企业投资人应当依法以家庭共有财产对企业债务承担无限责任。按照民法通则第七十八条的规定,按份共有人按照各自的份额,对共有财产分享权利,分担义务;共同共有人对共有财产享有权利,承担义务。在我国,家庭成员之间的财产关系一般是由家庭成员共同劳动、经营,共同生活而发生的,是共同共有关系,每个家庭成员都是家庭财产的共有人,对家庭共有财产享有平等的所有权,对家庭共有财产的处置应当采取协商一致的原则。

投资人在以家庭共有财产作为个人出资时,应当征得家庭其他成员的同意,不得侵害家庭其他成员作为财产共有人的合法权利。因此,投资人在申请设立个人独资企业时,不得未经属于财产共有人的家庭其他成员的同意而擅自将家庭共有财产作为个人出资。投资人未经财产共有人的同意而将家庭共有财产申报为个人出资的,则须承担由此产生的一切法律后果。

第十九条 个人独资企业投资人可以自行管理企业事务,也可以委托或者聘用其他具有民事行为能力的人负责企业的事务管理。

投资人委托或者聘用他人管理个人独资企业事务,应当与受托人或者被聘用的人签订书面合同,明确委托的具体内容和授予的权利范围。

受托人或者被聘用的人员应当履行诚信、勤勉义务,按照与投资人签订的合同负责个人独资企业的事务管理。

投资人对受托人或者被聘用的人员职权的限制,不得对抗善意第三人。

【释义】本条是对个人独资企业事务管理的规定。

个人独资企业的事务管理,是控制和协调个人独资企业生产经营活动的行为,包括个人独资企业的生产经营管理以及个人独资企业对内对外事务的处理,是个人独资企业生产经营活动的一个重要内容,也是个人独资企业投资人行使其财产所有权,实现其财产的经济效益的重要方式。如何管理个人独资企业的事务,关系到个人独资企业投资人及其他负责管理个人独资企业事务管理的人员的利益,也关系到个人独资企业的对外责任和交易相对人的利益,对此,应当设立基本的规则,从法律上加以规范。因此,本条对个人独资企业的事务管理作出规定。

个人独资企业的特点及其财产法律关系所具有的基本性质,

决定了个人独资企业事务管理的方式应当是多种多样的。按照本法规定,个人独资企业是一个自然人投资,投资人依法享有企业财产的所有权,投资人作为所有人对个人独资企业的财产享有直接管理和支配的权利,有权决定如何利用企业财产以创造经济效益。从这个意义上说,个人独资企业投资人有权决定采用何种方式来管理本企业的事务,在不违反法律的前提下,投资人可以根据经营管理的需要和条件,选择任何一种或者数种有利于提高经营效益的方式对企业进行管理。根据个人独资企业的特点和我国目前个人独资企业事务管理的实际情况,本条第一款对个人独资企业的事务管理的方式作了较为灵活的规定,这就是:个人独资企业投资人可以自行管理企业事务,也可以委托或者聘用其他具有民事行为能力的人负责企业的事务管理。这一规定表明了以下含义:一是,个人独资企业的事务可以由投资人自己直接管理,也可以由其他人代为管理,个人独资企业的投资人在法律许可的范围内,有权自主决定以什么方式来管理个人独资企业的事务。二是,其他人经投资人以委托或者聘用的方式授予权利,也可以负责个人独资企业的事务管理。委托和聘用都是个人独资企业投资人的授权行为,投资人的这种授权行为可以向被委托或者被聘用的人进行,也可以向与个人独资企业进行交易的相对人进行。投资人不论是向前者还是向后者进行授予权利的意思表示,都会产生同等的法律效力,即受委托或者被聘用的人取得企业的经营管理权,可以负责管理个人独资企业的事务。三是,受委托或者被聘用管理个人独资企业事务的人,应当是具有民事行为能力的人。民事行为能力,是指民事主体通过自己的行为取得民事权利或设定民事义务的能力,包括主体为合法行为的能力和对其违法行为应承担责任的能力。民事主体只有具有民事行为能力才能以自己的行为参与民事活动,为自己取得民事权利,设定民事义务,从而代理他人为法律行为。

投资人设立委托关系,授权他人管理个人独资企业事务,应当采用书面合同形式,也就是应当与受托人或者被聘用的人订立书面合同。这是本条第二款所规定的一项重要内容。投资人与受托人或者被聘用的人员订立书面合同,确立委托关系,形式比较规范,易于明确权利义务,分清责任,有利于建立比较稳定的委托关系,有利于建立交易秩序,提高经济效益。按照本条第二款的规定,投资人授权他人管理个人独资企业的事务,应当与受托人或被聘用的人签订书面委托合同。签订委托合同,双方当事人应当遵守合同法关于合同订立、履行、变更、终止等的一般规定和有关委托合同的专门规定,主要是:在法律许可的范围内,只要能产生民事权利义务关系的任何事务,委托人均可请受托人办理。委托人可以特别委托受托人处理一项或者数项事务,也可概括地委托受托人处理一切事务。委托人应当预付处理委托事务的费用,受托人为处理委托事务垫付的必要费用,委托人应当偿还该费用及其利息。受托人应当将处理委托事务所取得的利益转给委托人。有偿的委托合同,因受托人的过错给委托人造成损失的,委托人可以要求赔偿损失;无偿的委托合同,因受托人的故意或者重大过失给委托人造成损失的,委托人可以要求赔偿损失。受托人超越权限给委托人造成损失的,应当赔偿损失。委托人或者受托人可以随时解除委托合同,因解除委托合同给对方造成损失的,除不可归责于该当事人的事由外,应当赔偿损失。委托合同的当事人一方死亡、丧失行为能力或者破产的,委托合同终止。合同法已对委托人与受托人的权利义务作了明确具体的规定,本法不必再作具体规定,因此,本条第二款仅规定,投资人与受托人或者被聘用的人签订书面合同,需明确委托的具体内容和授予的权利范围。在这里,委托的具体内容主要是指委托事务的范围和具体内容,授予权利的范围主要是指授予权利的性质、种类和行使权利的条件。

受托人或者被聘用的人员与投资人签订委托合同后,应当履行诚信、勤勉义务。诚实、信用、勤勉,是市场经济中处理他人事务所应提倡的一种道德意识,把这种道德意识确定为一种法律准则,使它具有一种普遍的、更强的约束力,有利于建立良好的经济关系和经济秩序,提高经济效益。受托人或者被聘用的人员作为委托合同的受托一方,履行诚信、勤勉义务最根本的一点就是要按照与投资人签订的合同负责管理个人独资企业事务。根据合同法的规定,受托人的首要义务是按照委托人的指示处理委托事务,委托合同是受托人接受委托人的委托而订立的,因此,受托人应当一丝不苟地执行委托合同,在委托人授权的范围内认真维护委托人的合法权益,想方设法完成委托事务。如果需要变更委托的指示,应当经委托人同意;因情况紧急,难以和委托人取得联系的,受托人应当妥善处理委托事务,并应当于事后将该情况及时向委托人报告。受托人转托他人处理委托事务须事先取得委托人同意。一般情况下,受托人应当亲自办理委托事务,不得擅自将自己受托的委托事务转托他人处理。在紧急情况下受托人为维护委托人的利益转委托的,对第三人的行为不承担责任。受托人应当按照委托人的要求,报告委托事务的处理情况。委托合同终止时,受托人应当报告委托事务的结果。受托人不得超越委托人授予的权利范围处理事务。

投资人对受托人或者被聘用的人员职权的限制,不得对抗善意第三人。本条第四款作出这一规定是为了保护善意第三人的利益,保障市场交易安全。善意第三人,就是指不知情的第三人,善意第三人不知受托人或者被聘用的人员违反委托合同规定的权限而与其发生交易时,投资人不得以委托权利的限制对抗该善意第三人,即要求投资人承担委托的法律后果。

第二十条 投资人委托或者聘用的管理个人独资企业事务的人员不得有下列行为:

（一）利用职务上的便利，索取或者收受贿赂；

（二）利用职务或者工作上的便利侵占企业财产；

（三）挪用企业的资金归个人使用或者借贷给他人；

（四）擅自将企业资金以个人名义或者以他人名义开立帐户储存；

（五）擅自以企业财产提供担保；

（六）未经投资人同意，从事与本企业相竞争的业务；

（七）未经投资人同意，同本企业订立合同或者进行交易；

（八）未经投资人同意，擅自将企业商标或者其他知识产权转让给他人使用；

（九）泄露本企业的商业秘密；

（十）法律、行政法规禁止的其他行为。

【释义】本条是对受委托管理个人独资企业事务的人员行为规则的规定。

投资人委托或者聘用其他人管理个人独资企业事务，是基于对受托人或者被聘用的人员的办事能力和信誉的信任，而委托合同的订立，也体现了受托人或者被聘用的人员信任投资人并愿意为投资人办理委托事务的意志，有了这种彼此信任，才有了建立委托关系的基础，投资人才会授权给受托人或者被聘用的人员管理个人独资企业事务。但是，要使受托人或者被聘用的人员在管理个人独资企业的事务过程中，真正履行诚信、勤勉义务，维护投资人的合法利益，仅仅依靠投资人的信任是不够的，还应当从法律上确定受托人或者被聘用人员的行为规则，防止发生道德风险，也就是说，防止受托人或者被聘用的人员利用投资人的信任，从事损害投资人利益的活动。因此，本条对个人独资企业投资人委托或者聘用的管理个人独资企业事务的人员的行为作出禁止性规定，主要有十项内容。

第一项规则，是受托人或者被聘用的人员不得利用职务上的便利,索取或者收受贿赂。所谓利用职务上的便利,是指利用投资人所授予的处理个人独资企业事务的权力;索取或者收受贿赂,是指行为人以明示或者暗示的要挟方法主要向对方索取财物,或者行为人违反法律规定对行贿人主动交付的财物来之不拒,或消极、被动地接受,并利用自己的职务之便为行贿人谋取利益的行为。受托人或者被聘用的人员利用职务之便收受他人财物,为他人谋取利益,必然是以损害个人独资企业投资人的利益为代价,所以,对这种行为应当坚决制止。

第二项规则,是受托人或者被聘用的人员不得利用职务或者工作上的便利侵占企业财产。所谓侵占财产,是指以非法占有为目的,将为他人保管的财物占为己有的行为。受投资人委托或者被投资人聘用管理个人独资企业事务的人,可以在投资人授权的范围内实际控制个人独资企业的财产,因而有实施侵占个人独资企业财产行为的客观条件。侵占个人独资企业的财产,实质上是侵犯个人独资企业投资人对本企业财产的所有权,而个人独资企业投资人对本企业财产的所有权依法受到保护,应当严格禁止侵占个人独资企业财产的行为。

第三项规则,是投资人委托或者聘用的管理个人独资企业事务的人员不得挪用企业的资金归个人使用或者借贷给他人。所谓挪用企业的资金,是指行为人利用职务上的便利,擅自动用本企业的资金归个人使用或借贷给他人的行为。这种行为本质上也是侵犯了个人独资企业投资人对本企业财产依法享有的所有权,应当严格禁止。

第四项规则,是不得擅自将企业资金以个人名义或者以他人名义开立账户存储。这里规定的以个人名义和以他人名义,指的是以受托人或者被聘用的人员自己的名义或者以除投资人以外的其他人的名义。这实际上是挪用企业资金的一种形式,当然也应予以禁止。

第五项规则，是不得擅自以企业财产提供担保。所谓以企业财产提供担保，是指以个人独资企业的财产作为履行清偿债务责任的保证。为企业财产设定担保，便赋予债权人对作为担保物的企业财产的担保物权，一旦债务人不履行债务，债权人就可以处分担保的财产，即以担保财产清偿债务，担保财产的所有权就会转移为债权人所有。由此可见，以个人独资企业财产提供担保，是对企业财产行使处分权，一般只能由所有权人即个人独资企业投资人自己行使，其他人处分个人独资企业财产，以企业财产提供担保，必须由个人独资企业投资人即企业财产所有人特别授权。在投资人没有明确授权的情况下，受委托或者被聘用管理个人独资企业事务的人员，不得以企业财产提供担保。

第六项规则，是未经投资人同意，投资人委托或者聘用管理个人独资企业事务的人员不得从事与本企业相竞争的业务。这主要是指受委托或者被聘用管理个人独资企业事务的人员，不得同时在其他企业从事与他所任职的个人独资企业相同或相类似的业务经营活动。

第七项规则，是未经投资人同意，受委托或者被聘用管理个人独资企业事务的人员不得同本企业订立合同或者进行交易。这主要是指受托人或者被聘用的管理个人独资企业事务的人员，不得为其个人或者为其他企业或其他人的利益而与其所任职的个人独资企业订立业务往来合同，或者作为交易相对人与其所任职的个人独资企业进行交易。

第八项规则，是未经投资人同意，不得擅自将企业商标或者其他知识产权转让给他人使用。这一规定主要是为了体现对个人独资企业的商标权及其他知识产权的保护。这一规定中的其他知识产权包括专利权、著作权以及对其他科学技术成果依法享有的权利。

第九项规则，是不得泄露本企业的商业秘密。根据我国反不正当竞争法的规定，所谓商业秘密，是指不为公众所知悉、能为权利人带来经济利益、具有实用性并经权利人采取保密措施的技术信息和经营信息。技术信息具体包括技术诀窍、配方、工艺流程、设计图纸等；经营信息包括经营决策、客户名单、货源情况、商品推销计划、财务状况等。在作为商业秘密的信息中，既可以反映企业的优势所在，也可以反映对企业不利的因素，如果这些信息为竞争对手所掌握，将使企业在竞争中处于不利地位。因此，保护商业秘密是维护公平市场环境的要求，受托人或者被聘用管理个人独资企业事务的人员，有义务保护个人独资企业的商业秘密，不得将本企业的商业秘密泄露给他人。

第十项规则，是不得有法律、行政法规禁止的其他行为。这是一项一般性的规则，其含义是，受委托或者被聘用管理个人独资企业事务的人员除不得有本条第（一）项至第（九）项规定的行为外，其他法律、行政法规对受委托或者被聘用的管理个人独资企业事务的人员规定的禁止性行为规则，也必须遵守，受托人或者被聘用的人员不得有法律、行政法规禁止他采取的行为。这一规定具有一定的灵活性，有利于适应今后发展的需要，也有利于与其他法律相衔接。

第二十一条 个人独资企业应当依法设置会计帐簿，进行会计核算。

【释义】本条是对个人独资企业会计管理的规定。

个人独资企业从事生产经营活动，需要记录经济业务的发生、确认、计量收入、成本、费用等，核算损益，因而需要进行自己的会计活动。为了规范会计行为，发挥会计在经济管理中的积极作用，我国专门制定了会计法，主要对会计活动的基本原则、会计账簿的设置、会计凭证的记载、会计核算的基本规则、会计监督等方面的内容作了规定，这是会计方面的基本法律规范，个人独资企业进行会计活动必须遵守会计法的规定。有关法律、行政法规以及规章，也对会计活动作出了相应的规定，如现行税收征收管理法规定，纳税人、扣缴义务人应当按照有关部门的规定，在领取营业执照之日起十五日之内设置账簿（包括总账、日记账以及其他辅助性账簿），根据合法有效的凭证记账，进行核算，生产、经营规模较小又确无建账能力的个体工商户，经过主管税务机关核准，可以不设置账簿，聘请注册会计师或者经过税务机关认可的财会人员，代为建账和办理财务。聘请上述人员确有困难的，经过主管税务机关批准，可以按照规定建立收支凭证粘贴簿、进销货登记簿等。《企业所得税暂行条例》对纳税人收入的计算、费用的扣除项目和不得扣除项目、资产的税务处理、应纳税额的计算等，作了非常明确具体的规定，个人独资企业的会计活动也应当遵守这些规定。由于会计法及其他法律、行政法规和规章对企业会计管理所作的规定中，已经包括了适用于个人独资企业会计管理的内容，在本法中可以不再对这方面的内容作具体规定，个人独资企业的会计活动可以直接适用会计法及其他有关法律、行政法规、规章的规定。

第二十二条　个人独资企业招用职工的，应当依法与职工签订劳动合同，保障职工的劳动安全，按时、足额发放职工工资。

【释义】本条是对个人独资企业职工合法权益的规定。

在实际生活中，许多个人独资企业根据生产经营的需要招用职工，规模大的招用的职工人数多一些，规模小的个人独资企业只招1～2个帮工。在企业中，职工是劳动者，企业是用人单位，企业招用职工，就会与职工形成劳动关系。为了保障劳动者的合法权益，调整劳动关系，我国制定了劳动法，为劳动就业、劳动合同和集体合同、工作时间和休息、工资、劳动安全卫生、职业培训等，作出了明确具体的规定。按照我国现行劳动法的规定，企业与职工应当依法通过劳动合同确立劳动关系，企业作为用人单位应当依法确定职工的劳动时间,保证职工休息休假的权利,依法确定工资标准并发放工资,改善劳动条件,保障职工的劳动安全,等等。但是,实际中有一些个人独资企业投资人违反劳动法的规定侵犯职工合法权益的问题仍然比较严重,主要表现是,不与职工签订劳动合同,劳动条件差,职工劳动安全没有保障,劳动时间过长,无故拖欠、克扣职工工资,等等。因此,针对个人独资企业中存在的侵犯职工合法权益的突出问题,本条作出了相应的规定,主要是强调、重申劳动法的规定。

第一,个人独资企业招用职工,应当依法与职工签订劳动合同。个人独资企业与职工订立劳动合同,应当遵循平等自愿、协商一致的原则,不得违反法律、行政法规,不得以欺诈、威胁等手段订立劳动合同。劳动合同应当采用书面形式,并须具备以下条款:(1)劳动合同期限;(2)工作内容;(3)劳动保护和劳动条件;(4)劳动报酬;(5)劳动纪律;(6)劳动合同的终止条件;(7)违反劳动合同的责任。除这些条款外,当事人还可以协商约定其他内容。劳动合同依法订立后,个人独资企业和职工都应当严格按照合同的规定执行。经劳动合同当事人协商一致的,劳动合同可以解除。在符合法律规定的条件下,个人独资企业或者职工也可以单方面解除劳动合同。

第二,个人独资企业应当依法保障职工的劳动安全。对于个人独资企业来说,主要应当做到:劳动安全卫生设施符合国家规定的标准;为劳动者提供符合国家规定的劳动安全卫生条件和必要的劳动防护用品,对从事有职业危害作业的劳动者,应当定期进行健康检查。负责个人独资企业事务管理的人员不得违章指挥,强令职工冒险作业,对职工指出的有关劳动安全卫生方面的意见、建议、批评、检举和控告,应当认真对待,积极采取措施,消除危害职工健康安全的状况和行为,并不得对提出批评、检举和控告的职工进行打击报复。

第三，个人独资企业应当按时、足额发放职工工资。职工工资是职工提供劳务的报酬，是职工维持其本人及其家庭成员生活的基本保障。准时取得劳动报酬，是职工的基本权利，必须由法律来保障。个人独资企业职工工资的分配应当遵循按劳分配原则，实行同工同酬；个人独资企业投资人根据本企业的生产经营特点和经济效益，依法自主确定本企业的工资分配方式和工资水平；在此基础上，每个职工的工资也就是他们的劳动报酬的具体数额和支付时间，由个人独资企业与被招用的职工在依法订立劳动合同时协商确定，并应在劳动合同中载明。所谓按时、足额发放工资，就是按照依法订立的劳动合同约定的时间和数额发放工资，不得无故拖欠或者克扣职工工资。

第二十三条　个人独资企业应当按照国家规定参加社会保险，为职工缴纳社会保险费。

【释义】本条是对个人独资企业参加社会保险，为职工缴纳社会保险费的规定。

改革开放以来，党和国家采取了一系列政策、措施，大力发展社会保险事业，积极推进社会保障制度的改革、健全和完善工作。党的十五大明确提出，建立社会保障体系，实行社会统筹和个人相结合的养老、医疗保险制度，完善失业保障和社会救济制度，提供最基本的社会保障。为此，国务院先后颁布了《关于建立统一的企业职工基本养老保险制度的决定》、《关于建立城镇职工基本医疗保险制度的决定》以及《失业保险条例》。同时，为了加强和规范社会保险费的征缴工作，国务院发布了《社会保险费征缴暂行条例》，劳动和社会保障部依据该条例，制定了《社会保险登记管理暂行办法》等部门规章，使我国社会保障的法制建设日趋完善，社会保险覆盖的范围逐步扩大。根据以上规定，国有企业、城镇集体企业、外商投资企业、城镇私营企业和其他城镇企业及其职工，都应当参加基本养老保险、基本医疗保险和失业保险,依法缴纳社会保险费。即各类城镇企业,不分所有制性质,不分组织形式,都应当参加社会保险,缴纳社会保险费。企业所有职工,不论性别、民族、国籍,也不分用工形式,都应当参加基本养老保险、基本医疗保险和失业保险,缴纳社会保险费。具体来讲,职工基本养老保险、职工基本医疗保险费用由用人单位和职工共同缴纳,职工失业保险费用由用人单位、职工和国家共同负担。征缴的社会保险费纳入社会保险基金,专款专用。这样有利于拓宽社会保险费的筹资渠道,使资金来源更加广泛,更加稳定,职工的社会保险待遇更加有保证。社会保险费实行三项社会保险费集中、统一征收。社会保险费的征收机构由省、自治区、直辖市人民政府规定,可以由税务机关征收,也可以由劳动保障行政部门按照国务院规定设立的社会保险经办机构征收。个人独资企业属于以上规定列举的必须参加社会保险的范围,当然适用以上规定,负有依照国家规定参加社会保险,为职工缴纳社会保险费的义务。为此,本条作了这一规定。

具体来讲,个人独资企业参加社会保险,为职工缴纳社会保险费的义务是:(一)参加社会保险的范围:个人独资企业应当参加基本养老保险、基本医疗保险和失业保险。这三项保险是最基本的社会保险。(二)进行社会保险登记:在 1999 年 1 月 22 日《社会保险费征缴暂行条例》施行后成立的个人独资企业,应当自领取营业执照之日起三十日内,向当地社会保险经办机构申请办理社会保险登记;在 1999 年 1 月 22 日《社会保险费征缴暂行条例》施行前尚未参加社会保险的个人独资企业,应当自条例施行之日起三十日内,向当地社会保险经办机构申请办理社会保险登记;在 1999 年 1 月 22 日《社会保险费征缴暂行条例》施行前已经参加社会保险的个人独资企业,应当自条例施行之日起六个月内向当地社会保险经办机构申请办理社会保险登记。由社会保险经办机构发给社会保险登记证件。参加社会保险的个人独资企业应当向其职工告知本单位已参加社会保险。在办理招聘职工和辞退职工手续时,也应当向应聘、被辞退人员出示本单位的社会保险登记证。个人独资企业应当每年向职工公布社会保险费缴纳情况,接受职工监督。(三)进行保险费缴费申报:个人独资企业必须按月向社会保险经办机构申报其应缴纳的社会保险费数额,经社会保险经办机构核定后,在规定的期限内缴纳社会保险费。(四)具体缴纳社会保险费的数额是:职工基本养老保险费的费率不得超过企业职工工资总额的20%,具体比例由省、自治区、直辖市人民政府确定。职工基本医疗保险费的费率是职工工资总额的6%左右,随着经济的发展,缴费率可作相应调整。失业保险费的费率是企业职工工资总额的2%。社会保险费不得减免。

职工基本养老保险、职工基本医疗保险和失业保险是最基本的社会保险,为此,国务院颁布了决定和条例。此外,为了更具体地保护职工的权益,劳动和社会保障部还颁布了《企业职工工伤保险试行办法》,自1996年10月1日起试行。目前,我国已有一些地区按照试行办法进行了工伤保险制度改革,计划到20世纪末,要有90%的市县实现改革。该试行办法规定工伤保险实行社会统筹,设立工伤保险基金,对工伤职工提供经济补偿和实行社会化管理服务。企业必须按照国家和当地人民政府的规定参加工伤保险,按时足额缴纳工伤保险费,按照本办法和当地人民政府规定的标准保障职工的工伤保险待遇。工伤保险费由企业按照职工工资总额的一定比例缴纳,职工个人不缴纳工伤保险费。工伤保险费根据各行业的伤亡事故风险和职业危害程度的类别实行差别费率,由当地劳动行政部门提出办法,经同级人民政府批准执行。因此,如果个人独资企业所在地属于工伤保险制度改革地区,就应当按照该办法和当地人民政府的规定为职工缴纳工伤保险费。劳动和社会保障部还制定了《企业职工生育保险试行办法》,自1995

年1月1日起试行。该办法适用于城镇企业，生育保险费实行社会统筹，建立生育保险基金。生育保险费由企业按照职工工资总额的一定比例缴纳，具体比例由当地人民政府确定，并可根据情况适时调整，但最高不得超过职工工资总额的1%。职工个人不缴纳生育保险费。目前，我国已在一些市县实施该试行办法，计划到本世纪末生育保险的覆盖面要扩大到全国各个城市。因此，如果个人独资企业所在地试行该办法，还应当按照该试行办法和当地人民政府的规定为企业职工缴纳生育保险费。劳动和社会保障部根据国务院条例制定的《社会保险费申报缴纳管理暂行办法》规定，工伤保险费和生育保险费的申报、缴纳可参照该办法执行。

我国目前实行的社会保险制度，是将过去实行的由企业发放职工养老金等费用转变为建立全社会统一的社会保险制度，由企业、个人依法缴纳社会保险费，形成社会保险基金，由基金支付社会保险待遇，即由企业转向社会，这是我国社会保险制度的重大改革。这有利于减轻企业的社会事务负担，有利于广泛筹集社会保险费，保障职工的权益。个人独资企业应当严格遵守国家的有关规定，依法履行缴纳社会保险费的义务。

第二十四条 个人独资企业可以依法申请贷款、取得土地使用权，并享有法律、行政法规规定的其他权利。

【释义】本条是对个人独资企业享有申请贷款权、取得土地使用权的规定。

个人独资企业作为企业的一种形式，与公司、合伙企业等处于平等的法律地位，它们之间仅仅存在着投资形式与责任形式的不同。因此，企业所享有的权利，只要不与个人独资企业的性质相冲突，个人独资企业都同样享有。本条对个人独资企业享有权利的规定，采取了重点列举与一般概括相结合的写法。即重点列举的权利是依法申请贷款、取得土地使用权，因为这两项权利对个人独资企业来讲都是比较重要的，直接关系到个人独资企业的发展。一般概括的权利是法律、行政法规规定的其他权利。

一、依法申请贷款权。这是指个人独资企业享有依照有关法律规范的规定申请贷款的权利。中国人民银行颁布的《贷款通则》，是指导各商业银行从事贷款业务的准则。《贷款通则》规定，借款人是指从经营贷款业务的中资经营机构中取得贷款的法人、其他经济组织、个体工商户和自然人。《贷款通则》列举的借款人的种类是非常广泛的，包括企业和个人，其中企业又包括法人企业和非法人企业。个人独资企业属于非法人企业，可以归入"其他经济组织"而属于《贷款通则》规定的借款人。所以，个人独资企业有权依照《贷款通则》等的规定申请贷款。《贷款通则》对借款人的资格作了具体规定，比如借款人应当是经工商行政管理机关核准登记的企业法人、其他经济组织、个体工商户和具有我国国籍的具有完全民事行为能力的自然人。借款人申请贷款，应当具备产品有市场、生产经营有效益、不挤占挪用信贷资金、恪守信用等基本条件。同时，要有按期还本付息的能力；原应付贷款利息和到期贷款已清偿，没有清偿的，已经做了贷款人认可的偿还计划；企业应当在工商部门办理了年检手续；已开立基本账户或一般存款账户；借款人的资产负债率符合贷款人要求等。此外，《贷款通则》还规定借款人不得在一个贷款人同一辖区内的两个或两个以上同级分支机构取得贷款，不得向贷款人提供虚假的隐瞒重要事实的资产负债表、损益表等；不得采取欺诈手段骗取贷款等。所以说，依照本条的规定，赋予个人独资企业的权利是依法申请贷款权，具体到申请贷款，还必须符合国家有关贷款的具体规定。

二、依法取得土地使用权。土地使用权是指使用土地的单位和个人在法律允许的范围内对依法交由其使用的国有土地和农民集体所有土地的占有、使用、收益及依法处分的权利。我国土地管理法规定，国有土地和农民集体所有的土地，可以依法确定给单位或者个人使用。国务院颁布的《城镇国有土地使用权出让和转让暂行条例》规定,我国境内外的公司、企业、其他组织和个人,除法律另有规定者外,均可以依条例的规定取得土地使用权,依法进行开发、利用、经营。关于取得土地使用权的资格,土地管理法笼统地规定为单位或者个人;《城镇国有土地使用权出让和转让暂行条例》具体规定为我国境内外的公司、企业、其他组织和个人,无论是笼统规定,还是具体规定,都可以看出个人独资企业是可以获得土地使用权的。因此,个人独资企业有权依照上述规定取得土地使用权。具体来讲,个人独资企业可以通过两种方式取得土地使用权:一是有偿取得,包括土地使用权的出让和土地使用权的转让。土地使用权的出让是指国家以土地所有者的身份将土地使用权在一定年限内让与个人独资企业,并由个人独资企业向国家支付土地使用权出让金。具体是由个人独资企业与市、县人民政府土地管理部门签订土地出让合同而取得土地使用权。土地使用权的转让是指土地使用者将土地使用权再转移的行为,包括出售、交换和赠与。具体是由个人独资企业与已经取得土地使用权的土地使用者签订土地使用权转让合同而取得土地使用权。二是无偿取得,是通过划拨土地使用权的方式取得,即个人独资企业依法通过各种方式无偿取得土地使用权。

三、法律、行政法规规定的其他权利。这一概括性规定的含义是,除以上重点列举的个人独资企业享有依法申请贷款权和取得土地使用权外,只要法律、行政法规对企业规定的权利,个人独资企业都有权享有。比如,个人独资企业对其在登记机关登记的企业名称享有专用权;个人独资企业有权设立分支机构;有权自主经营、招聘职工;有权自主制定属于市场调节价的商品和服务价格,在政府指导价规定的幅度内有权自主制定价格;个人独资企业有权申请商标、专利,获得商标权和专利权,等等。

第二十五条　任何单位和个人不得违反法律、行政法规的规定，以任何方式强制个人独资企业提供财力、物力、人力；对于违法强制提供财力、物力、人力的行为，个人独资企业有权拒绝。

【释义】本条是对任何单位和个人不得违法强制个人独资企业提供财力、物力、人力的规定。

近年来，一些地区和部门向企业乱收费和各种摊派问题比较严重。为了制止这一现象，国务院1988年颁布了《禁止向企业摊派暂行条例》。同时，党中央、国务院多次发布文件加以制止，但问题一直没有得到根本解决。向企业乱收费和各种摊派等问题，严重干扰了企业正常的生产经营，加重了企业负担，助长了不正之风，损害了党和政府同人民群众的关系，挫伤了企业、事业单位和群众的积极性，影响了经济发展和社会稳定。中共中央、国务院1997年发布的《关于治理向企业乱收费、乱罚款和各种摊派等问题的决定》指出，对于这种情况已经到了非解决不可的时候。因此，为了有效制止乱收费和各种摊派，保护个人独资企业的合法权益，本条规定任何单位和个人不得违反法律、行政法规的规定，以任何方式强制个人独资企业提供财力、物力、人力；对于违法强制提供财力、物力、人力的行为，个人独资企业有权拒绝。这一规定包含两层含义：

一、作为义务，规定任何单位和个人不得违反法律、行政法规的规定，强制个人独资企业提供财力、物力、人力，即任何单位和个人必须在法律、行政法规规定的范围内要求个人独资企业承担义务，否则就是违法行为。具体来讲，就是严禁向个人独资企业摊派、索要赞助和无偿占用个人独资企业的人、财、物；严禁向个人独资企业强买强卖，强制个人独资企业接受指定服务，从中牟利；严禁在公务活动中通过中介组织对个人独资企业进行收费；严禁将应当由个人独资企业自愿接受的咨询、信息、检测、商业保险等服务变为强制性服务，强行收费；严禁强制个人独资企业参加不必要的会议、培训、学术讨论、技术考核、检查评比和学会、协会、研究会等；严禁强行向个人独资企业拉广告，强制个人独资企业订购书报刊物、音像制品等；严禁机关、事业单位及其工作人员到个人独资企业报销各种费用；严禁擅自设立对个人独资企业的行政事业性收费、集资、基金项目；严禁擅自提高收取标准，扩大收取范围等。根据国务院《禁止向企业摊派暂行条例》的规定，不得违法向个人独资企业征收下列费用：(1)各地教育部门、学校自定的职工子女入学费；(2)建田费和垦复费；(3)进入城市落户的人头费；(4)煤气开发费；(5)集中供电费；(6)过路费；(7)过桥费(集资或用贷款建桥的除外)；(8)排水增容费；(9)各种名目的治安管理费；(10)各种名目的卫生费；(11)绿化费；(12)支农费；(13)各种名目的会议费等费用。为了更好地贯彻本条的规定，各地区、各部门要严格遵守国家有关法律的规定，认真执行党中央、国务院《关于治理向企业乱收费、乱罚款和各种摊派等问题的决定》，坚决取消不符合规定的向企业的行政事业性收费、集资、基金项目和各种摊派，全面清理按规定未被取消的向企业的行政事业性收费、集资、基金项目，对不合理的项目，要坚决取消。同时，还要建立、健全向企业的行政事业性收费、集资、基金项目的审批管理制度，严格按规定程序报批。向企业收取行政事业性费用，必须凭物价部门颁发的收费许可证和财政部或省、自治区、直辖市人民政府财政部门统一制发的行政事业性收费票据，依法征税的必须使用税务部门统一印制的发票。

二、作为权利，规定对于违法强制提供财力、物力、人力的行为，个人独资企业有权拒绝。这是法律赋予个人独资企业的权利，个人独资企业要运用法律武器维护自己的合法权益。要敢于对违法行为进行抵制，要勇于举报有关单位和个人的违法行为，也可以根据行政诉讼法的规定，对于行政机关违法要求个人独资企业提供财力、物力、人力的行为，提起行政诉讼。

为了保证本条规定的贯彻落实,保护个人独资企业的合法权益,严厉打击向企业乱收费和各种摊派等行为,本法在法律责任一章中对违反法律、行政法规的规定,强制个人独资企业提供财力、物力、人力的行为,规定了法律责任。此外,为了从根本上治理乱收费和各种摊派等问题,党中央、国务院决定由国家经贸委牵头,国家计委、财政部、监察部、国务院纠风办和审计署参加,建立国务院减轻企业负担部际联席会议制度,并设立办公室,负责工作指导、监督检查和组织协调。同时要求有关部门接受举报后,要认真进行调查处理,对于造成恶劣影响和严重后果的重大案件,要追究主要负责人和当事人的责任,根据情节轻重,给予相应的党纪政纪处分,触犯刑法的要移交司法机关依法处理。对于顶风作案和打击报复举报人或刁难企业的,要依法处理,决不姑息。表明了党中央、国务院治理乱收费和各种摊派等问题的决心。所以说,有了本条的规定及国家关于禁止向企业乱收费和各种摊派等方面的措施和办法,个人独资企业在这方面的权益就有了切实保证。

第四章　个人独资企业的解散和清算

第二十六条　个人独资企业有下列情形之一时,应当解散:

(一)投资人决定解散;

(二)投资人死亡或者被宣告死亡,无继承人或者继承人决定放弃继承;

(三)被依法吊销营业执照;

(四)法律、行政法规规定的其他情形。

【释义】本条是对个人独资企业解散情形的规定。

企业解散是相对于企业成立而言的。企业解散,表明其作为经济实体的资格消灭。造成企业解散的原因是多方面的,概括起来讲,可以分为强制解散和自行解散。强制解散是指企业违反了法律、法规的规定而依法必须解散。自行解散是指企业自己决定解散或者因强制解散以外的原因导致企业解散的情形。比如,我国公司法规定公司自行解散的情形是:公司章程规定的经营期限届满或者公司章程规定的其他解散事由出现时;股东会决议解散;因公司合并或者分立需要解散的。本条对个人独资企业解散情形的规定,既包括自行解散,也包括强制解散。

一、自行解散。本条对个人独资企业自行解散规定了两种情形:1. 投资人决定解散,即个人独资企业的投资人决定解散企业。由投资人决定解散是由个人独资企业的特点所决定的,因为根据本法的规定,个人独资企业是由一个自然人投资,财产为投资者个人所有。由于只有一个投资人,因此,投资人个人可以自己决定解散企业的问题。而不像其他组织形式的企业,决定企业解散要经过一定的程序和其他投资人的同意。比如,有限责任公司、股份有限公司是由两个以上的股东出资设立的,合伙企业是由两个以上的合伙人共同出资设立的。因此,公司法规定公司解散的情形之一是股东会决议解散。具体来讲,对于有限责任公司,要求必须经代表三分之二以上表决权的股东通过才能解散;对于股份有限公司,要求必须经出席股东大会的股东所持表决权的三分之二以上通过;合伙企业法规定合伙企业解散的情形之一是全体合伙人决定解散。与公司、合伙企业相比,由于个人独资企业是一人投资,无需征得别人的同意,因此,只要投资人自己决定,企业就可以解散,在具体操作上是比较简单的。2. 投资人死亡或者被宣告死亡,无继承人或者继承人决定放弃继承。投资人死亡是指其生理死亡。投资人被宣告死亡是指在法律上推定其死亡,从而发生与生理死亡相同的法律后果。根据民法通则的规定,投资人被宣告死亡应当符合下列条件:(1)投资人下落不明满四年,或者因意外事故下落不明,自事故发生之日起满二年,或者因意外事故下落不明,经有关机关证明该投资人已不可能生存;(2)要经投资人的利害关系人申请。利害关系人的顺序一是配偶,二是父母和子女,三是姐妹、祖父母、外祖父母、孙子女、外孙子女,四是其他与投资人具有民事权利义务关系的人。根据我国民事诉讼法的规定,人民法院受理宣告投资人死亡的申请后,应当发出寻找下落不明投资人的公告,公告期为一年。因意外事故下落不明的,经有关机关证明该投资人不可能生存的,公告期为三个月。公告期满后仍不能确定其下落的,应当作出死亡宣告。被宣告死亡的投资人,判决宣告之日为其死亡的日期,发生死亡的法律后果。投资人死亡或者被宣告死亡,即发生继承的问题。继承人有权接受继承,也有权放弃继承。接受继承是指继承人同意接受遗产的意思表示,包括明示和默示。放弃继承是指在遗产分割前继承人明确表示放弃继承的意思表示。对于个人独资企业的投资人来讲,其死亡或者被宣告死亡后,如果投资人有继承人,并且继承人接受继承,那么个人独资企业作为遗产,按我国继承法的规定由投资人的继承人继承。如果投资人没有继承人,或者虽然有继承人,但是继承人明确表示放弃继承,个人独资企业因无人继承而导致没有新的投资人,所以本条规定个人独资企业出现这种情形就应当解散。

二、强制解散。本条对于强制解散规定了两种情形:1. 被依法吊销营业执照。本法规定,个人独资企业营业执照的签发日期,为个人独资企业成立日期。在领取个人独资企业营业执照前,投资人不得以个人独资企业的名义从事经营活动。所以,个人独资企业的营业执照是个人独资企业依法成立和从事生产经营的标志。个人独资企业被依法吊销营业执照,当然就不能再从事生产经营活动。因此,该个人独资企业应当解散。为此,本条作了这一规定。比如,依照本法的规定,个人独资企业成立后无正当理由超过六个月未开业的,或者开业后自行停业连续六个月以上的,吊销营业执照。在这种情形下,个人独资企业就应当依照本条的规定解散。2. 法律、行政法规规定的其他情形。这是一种概括式的写法,主要是为了避免列举不全。其含义是,如果有关法律、行政法规规定了个人独资企业解散的情形,一旦这种情形出现,个人独资企业就应当解散。

第二十七条　个人独资企业解散,由投资人自行清算或者由债权人申请人民法院指定清算人进行清算。

投资人自行清算的,应当在清算前十五日内书面通知债权人,无法通知的,应当予以公告。债权人应当在接到通知之日起三十日内,未接到通知的应当在公告之日起六十日内,向投资人申报其债权。

【释义】本条是对个人独资企业解散清算的规定。

清算是企业解散的法律后果，是对解散企业的财产进行清理，收回债权，偿还债务，如果有剩余财产，依法进行分配。清算结束后，企业作为经济实体的资格就消灭了。企业解散，无论是自行解散，还是强制解散，都必须依法进行清算。关于个人独资企业的清算，本条主要规定了以下内容：

一、清算的方式。本条对个人独资企业的清算规定了两种方式：一是投资人自行清算，二是由债权人申请人民法院指定清算人进行清算。1. 投资人自行清算，即个人独资企业的投资人自己对企业进行清算。本条作出这样的规定，是因为个人独资企业是投资人一人投资，财产为投资人个人所有，不存在其他投资人的问题。不像公司、合伙企业那样，由若干股东或者合伙人组成，清算会涉及其他股东或者合伙人的利益，因此，清算也要由全体股东、合伙人或者股东、合伙人指定的第三人进行清算。比如公司法规定，公司解散，应当在十五日内成立清算组。有限责任公司的清算组由股东组成，股份有限公司的清算组由股东大会确定其人选。合伙企业法规定合伙企业清算，清算人由全体合伙人担任。未能由全体合伙人担任清算人的，经全体合伙人过半数同意，可以自合伙企业解散后十五日内指定一名或者数名合伙人，或者委托第三人担任清算人。所以说，本条关于个人独资企业投资人自行清算的规定与公司法、合伙企业法关于全体股东、合伙人进行清算的规定在性质上是一样的，区别只是在于个人独资企业的投资人是一个人，因此规定由投资人清算。2. 债权人申请人民法院指定清算人进行清算。这是对个人独资企业债权人一项权利的规定。因为个人独资企业解散清算，直接关系到债权人的利益。如果债权人出于各种考虑，不想让投资人自行清算，而要求由法院指定清算人进行清算，这种要求也是应当的。为此，本条作了这样的规定。法院可以指定什么样的人作为清算人，即清算人的资格问题，本条未作规定。一般可以指定注册会计师、律师等专业人员作为清算人。

本条关于清算的规定,没有区分个人独资企业自行解散与强制解散两种情形分别进行规定。而且,由于个人独资企业的规模一般都比较小,所以本条只规定了投资人一人或者法院指定的清算人进行清算。不像公司法那样规定成立清算组进行清算。因为一般来讲,清算人是指一人或数人,而清算组则必须是三人以上。同时,对于这两种清算方式,本条的规定是平行的,没有先后之分,也没有规定在什么条件下债权人申请人民法院指定清算人进行清算。公司法关于清算的规定,是区分不同情况的。比如,对于公司自行解散的,规定由股东在十五日内成立清算组进行清算;逾期不成立清算组的,债权人可以申请人民法院指定有关人员组成清算组进行清算。对于公司被依法强制解散的,规定由有关主管机关组织股东、有关机关及有关专业人员成立清算组进行清算。合伙企业法对清算的规定虽然没有像公司法那样对自行解散与强制解散的清算问题作了不同规定,但是对于申请人民法院指定清算人进行清算规定了条件,即合伙企业在十五日内不指定清算人的,合伙人或者其他利害关系人可以申请人民法院指定清算人进行清算。与公司法、合伙企业法相比,个人独资企业法关于清算的规定是比较笼统、比较简单的。这主要是因为个人独资企业只有一个投资人,企业规模相对来讲比较小,投资人是以其个人财产对企业债务承担无限责任。

二、关于投资人自行清算。为了保证个人独资企业的债权人能够知悉个人独资企业解散的情况,以便及时申报其债权,保护债权人的利益,本条对投资人自行清算作了具体规定。要求投资人要通知和公告债权人。在清算前通知和公告债权人在法定期限内申报其债权,是投资人的法定义务,也是核实和确认债权人权利并以此为依据清偿债务的前提。为了及时、顺利完成债权登记和债务清偿,尽量避免和减少偿债纠纷,本条规定投资人自行清算的,应当在清算前十五日内书面通知债权人,无法通知的,应当予以公告。即规定了通知书和公告两种方式。对个人独资企业明知的债权人,采取发通知书的方式;对不明知的债权人,采取公告的方式,比如在公开发行的报纸上登载。企业债权人应当在接到通知之日起三十日内,未接到通知的,应当在公告之日起六十日内,向投资人申报其债权。

对于债权人申请人民法院指定清算人进行清算,也应当采取通知和公告两种方式。本条未作具体规定。因为这种情况下是人民法院指定清算人,法院会告知其清算程序。本条之所以对投资人自行清算专门作出规定,也是法律对投资人自行清算的一种约束。目的是防止投资人清算时不通知债权人而日后发生偿债纠纷,损害债权人利益。

第二十八条 个人独资企业解散后,原投资人对个人独资企业存续期间的债务仍应承担偿还责任,但债权人在五年内未向债务人提出偿债请求的,该责任消灭。

【释义】本条是对个人独资企业解散后原投资人责任的规定。

依照本法第二十七条的规定,个人独资企业解散应当由投资人自行清算或者由债权人申请人民法院指定清算人进行清算。清算就是清理个人独资企业的债权债务。为此,本法第二十七条还规定了投资人自行清算应当通知和公告债权人的程序。个人独资企业清算结束后,企业作为经济实体的资格就消灭了。如果债权人因种种原因未能在规定的期限内申报其债权,或者其债权未能全部清偿,在个人独资企业解散后,如何处理该债权呢?本条对此作了规定。

首先,本条规定原投资人对个人独资企业存续期间的债务仍承担偿还责任,这是由个人独资企业的性质所决定的。第一,本法规定个人独资企业是一个自然人投资,企业财产为投资人个人所有,投资人是以其个人财产对企业债务承担无限责任。因此,投资人应当对个人独资企业的债务承担全部责任。第二,本法规定个人独资企业的财产不足以清偿债务的,投资人应当以其个人所有的其他财产予以清偿。即个人独资企业清偿债务,不仅限于企业的财产,还包括投资人个人的其他财产。这些就决定了个人独资企业在解散后,原投资人的偿债责任仍不能免除。在这点上与合伙企业相同,与公司不同。与合伙企业相同,是因为合伙企业的合伙人对合伙企业的债务也承担无限责任,只是由于合伙企业是由两个以上的合伙人组成,所以这种无限责任是无限连带责任。因此,合伙企业法规定在合伙企业解散后的一定期限内,原合伙人对合伙企业存续期间的债务仍应承担连带偿还责任。与公司不同,是因为有限责任公司与股份有限公司是以其全部资产对公司债务承担责任,公司股东以其出资额为限对公司债务承担责任。因此,公司在解散清算时,对于在公司法规定期限内未申报债权的债权人,视为放弃债权,不列入清算范围,但是对公司明知而又未通知的债权人除外。如果债权人超过申报期限提出债权要求的,经清算组核定,只能就公司的剩余财产请求清偿。如果公司的剩余财产已经按照股东的出资比例分配完毕,超过债权申报期限提出要求的债权人将丧失受偿的机会,公司股东对其债权没有偿还的义务。

其次,本条对投资人就个人独资企业存续期间的债务承担偿还责任规定了时间限制。即债权人在个人独资企业解散后五年内未向债务人提出偿债要求的,该责任消灭。这就是说,投资人对个人独资企业存续期间的债务承担偿还责任不是无限期的。规定五年的期限,有利于敦促债权人及时主张权利。如果没有时间限制,权利人可能就会不重视及时行使其请求权,使其债权不能得到及时偿还。另一方面,规定期限,有利于及时了结双方的债权债务关系,以维护社会经济关系的稳定。如果没有期限限制,就等于承认债权人的请求权具有永久效力,而当其不行使时,其与投资人的关系就会长期处于不稳定状态。合伙企业法就有这样的规定。其具体内容是合伙企业解散后,原合伙人对合伙企业存续期间的债务仍应承担连带责任,但债权人在五年内未向债务人提出偿债请求的,该责任消灭。

本条的规定既反映了个人独资企业投资人以其个人财产对企业债务承担无限责任的特征,以保护债权人的利益,又兼顾了维护社会经济关系稳定的需要。因此,个人独资企业的债权人应当依法及时行使其权利,以保护自己的利益不受损害。

第二十九条 个人独资企业解散的,财产应当按照下列顺序清偿:

(一)所欠职工工资和社会保险费用;

(二)所欠税款;

(三)其他债务。

【释义】本条是对个人独资企业解散时财产清偿顺序的规定。

个人独资企业解散,依照本法的规定,由投资人自行清算或者由债权人申请人民法院指定清算人进行清算。投资人或者法院指定的清算人应当对企业的财产进行全面清理核查,该收回的债权应当收回,对申报的债权进行登记。在此基础上,偿还债务。这就涉及对企业债务的清偿顺序问题,为此,本条作了规定。依照本法的规定,个人独资企业的投资人是以其个人的财产对企业债务承担无限责任,当个人独资企业的财产不足清偿企业债务时,投资人应当以其个人的其他财产予以清偿。即使是个人独资企业解散了,只要债权人在企业解散后五年内向投资人提出了偿债请求,原投资人对个人独资企业存续期间的债务仍应承担偿还责任。所以说,本法为了保护个人独资企业债权人的利益,对个人独资企业投资人偿还债务的责任作了多处规定。本条之所以再对清偿债务的顺序作出规定，是为了保证职工工资和社会保险费用以及国家税款能够得到及时偿还，以保护职工和国家利益不受损害，是对职工和国家利益的重点保护。本条规定个人独资企业财产的清偿顺序是：（一）所欠职工工资和社会保险费用。职工工资和社会保险费用直接关系到职工的生活和养老、医疗、失业等保障问题，涉及人民群众的切身利益，所以本条将所欠职工工资和社会保险费用列为清偿的第一顺序。依照本法的规定，个人独资企业应当按照国家的规定参加社会保险，为职工缴纳社会保险费。具体来讲，个人独资企业应当按照国家规定为职工缴纳职工基本养老保险、职工基本医疗保险和职工失业保险等费用。个人独资企业为职工缴纳的基本养老费的费率不得超过职工工资总额的20%，具体比例由省、自治区、直辖市人民政府确定；职工基本医疗保险费的费率是职工工资总额的6%左右；失业保险费的费率是职工工资总额的2%。个人独资企业必须按月向社会保险经办机构申报其应缴纳的社会保险费数额，经社会保险经办机构核定后，在规定的期限内缴纳。此外，劳动和社会保障部还制定了《企业职工工伤保险试行办法》《企业职工生育保险试行办法》，目前正在一些地区试行。如果个人独资企业所在地属于工伤保险和生育保险改革地区，还要依照试行办法和当地人民政府的规定缴纳工伤保险费和生育保险费。目前，我国正在进行社会保险制度的改革，将过去由企业发放职工养老金等费用转变为建立全社会统一的社会保险制度。即由企业与职工个人分别缴纳一定比例的社会保险费，形成社会保险基金，并从社会保险基金中支付职工相应的费用。这样有利于拓宽社会保险费的筹资渠道，使资金来源更加广泛、更加稳定，职工的社会保障待遇更加有保证。同时，也有利于减轻企业的社会事务负担。因此，按照国家规定为职工缴纳一定比例的社会保险费，是个人独资企业应尽的义务。个人独资企业在解散清算时，对企业在解散前未按规定缴纳的职工的社会保险费用，应当从企业财产中首先支付。(二)所欠税款。税款是国家财政收入的主要来源和经济建设的重要支柱。一切负有纳税义务的单位和个人,都应当依照国家税法的规定履行纳税义务,个人独资企业当然不能例外。为了保护国家利益,本条将所欠国家税款列为清偿的第二顺序。根据我国税收法律、行政法规的规定,个人独资企业应当缴纳所得税、增值税、营业税、消费税、土地使用税、印花税等。个人独资企业在解散清算时,对应当缴纳的税款要认真核查,对欠缴的税款,在按照本条规定清偿职工工资和社会保险费用后,应当补缴。(三)其他债务。债是按照合同约定或者依照法律的规定在当事人之间产生的特定的权利义务关系。本项规定的"其他债务"是指除职工工资和社会保险费用、国家税款之外的因合同或者依照法律规定,个人独资企业应当承担的债务,包括合同之债、侵权之债等。比如个人独资企业与他人签订购销合同,个人独资企业作为买方在收取货物后未支付的货款,就属于其他债务。依照本条的规定,这些债务在清偿顺序中居于第三位。

第三十条 清算期间,个人独资企业不得开展与清算目的无关的经营活动。在按前条规定清偿债务前,投资人不得转移、隐匿财产。

【释义】本条是对个人独资企业在清算期间经营活动及偿债之前企业财产的规定。

一、对清算期间经营活动的规定。个人独资企业清算,就是对企业的财产进行全面清理和核查。对企业债权人申报的债权进行登记,对企业拥有的债权及时收回。在查实公司全部财产和负债的基础上,根据本法规定的顺序清偿个人独资企业所欠职工工资和社会保险费用、所欠国家税款及企业的其他债务。清算结束,个人独资企业作为经营实体的资格消灭。所以个人独资企业解散,应当及时进行清算,以便及时清偿债务,保护债权人的利益。鉴于此,本条规定个人独资企业在清算期间,不得开展与清算目的无关的经营活动。因为在清算期间,如果个人独资企业开展与清算目的无关的经营活动,就会增加新的债权和债务,就会使企业的资产和负债处于不稳定状态,无法进行及时统计,导致个人独资企业的清算期间拉长,从而损害债权人的利益。比如个人独资企业在清算期间与他人签订了新的经济合同,由于合同的完成需要一定的时间,那么因合同而产生的债权债务只有在合同到期时才能实现,这样就会延长清算的时间。当然,本条的规定并不意味着个人独资企业在清算期间不得从事任何经营活动,个人独资企业如果开展与清算目的有关的经营活动是允许的。这主要是指个人独资企业处理与清算有关的企业未了结的业务,比如,在个人独资企业解散前已经签订的在清算时尚在履行的合同,投资人作为清算人或者法院指定的清算人可以决定继续履行或者终止履行。无论是继续履行还是终止履行,都是对个人独资企业已有债权债务的处理,是与清算目的有关的经营活动。

二、对偿债前企业财产的规定。本条规定个人独资企业在按照前条规定清偿债务前,投资人不得转移、隐匿财产。本法规定个人独资企业解散要进行清算,就是为了使个人独资企业清理财产,了结债务,以保护职工、国家和其他债权人的利益。根据本法的规定,个人独资企业的财产不足清偿债务时,投资人应当以其个人的其他财产进行清偿。投资人以其个人财产对企业的债务承担无限责任。这就是说,对个人独资企业债务的清偿是有双重保证的。一是以个人独资企业的财产清偿,二是在个人独资企业财产不足清偿时,由投资人以其个人的其他财产清偿,体现了个人独资企业投资人的无限责任。同时,本法还规定,个人独资企业解散后,只要债权人在五年内向原个人独资企业的投资人提出偿债请求,原投资人对企业存续期间的债务仍应承担偿还责任。既然本法对保护个人独资企业债权人的利益作了许多规定,为什么还要作本条的规定呢？从根本上说，还是为了保护企业债权人的利益。因为如果个人独资企业的投资人在偿还债务前转移或者隐匿财产，在清算时个人独资企业的财产、个人独资企业投资人个人的其他财产就会减少，这是个人独资企业投资人逃避债务的一种方法，必然会损害债权人的利益。虽然本法规定了上述保护债权人的救济手段，比如在个人独资企业解散后五年内债权人还可以主张其债权，但是会使债权人的债权得不到及时偿还，甚至会因表面上投资人没有足够的个人财产而使债权人的债权长期拖延不能偿还，所以本条作了这样的规定。这是个人独资企业及其投资人必须遵守的一项义务。为了保证本条规定的落实，保护个人独资企业债权人的利益，本法对此还规定了法律责任，即个人独资企业及其投资人在清算前或清算期间隐匿或转移财产，逃避债务的，依法追回其财产，并按照有关规定予以处罚；构成犯罪的，依法追究刑事责任。需要说明的是，本条规定投资人不得转移、隐匿财产，既包括不得转移、隐匿个人独资企业的财产，也包括不得转移、隐匿个人独资企业投资人个人的其他财产。

第三十一条　个人独资企业财产不足以清偿债务的，投资人应当以其个人的其他财产予以清偿。

【释义】本条是对个人独资企业承担债务责任的财产范围的规定。

个人独资企业是一个自然人投资，财产为投资人个人所有，投资人以其个人财产对企业债务承担无限责任的经营实体，从其法律性质看，个人独资企业没有独立的财产，企业的财产由投资人依法享有所有权，与投资人的个人财产没有区别，也可以说就是投资人的个人财产。根据这种性质，个人独资企业的债务实质上是由个人独资企业投资人的全部个人财产承担保证责任的。从形式上看，个人独资企业投资人将一部分财产作为个人投资投入个人独资企业,投入企业的财产主要用于生产经营,而且通常存放于企业中或者以企业的名义管理使用,这部分投入企业的财产,就构成了形式上的个人独资企业财产。相对于这部分财产,所有权属于投资人但没有投入个人独资企业的财产,就是投资人的其他个人财产。按照本条规定,个人独资企业投资人可以先以投入个人独资企业的那部分财产清偿企业债务,这部分财产不足以清偿债务时,再以属于投资人个人所有的其他财产承担债务责任,直到清偿全部债务。

第三十二条 个人独资企业清算结束后,投资人或者人民法院指定的清算人应当编制清算报告,并于十五日内到登记机关办理注销登记。

【释义】本条是对个人独资企业清算结束后应当编制清算报告和办理注销登记的规定。

个人独资企业清算结束后,投资人或者人民法院指定的清算人应当编制清算报告。所谓"清算结束",是指个人独资企业经过清算,其未了结的业务已经了结,应收回的债权已经收回,应清偿的债务包括所欠职工工资和社会保险费用、所欠税款及其他债务已经偿还,可以依法终结个人独资企业各种法律关系的时候。为了保护债权人的利益,维护社会经济秩序,本条规定个人独资企业清算结束后,投资人或者人民法院指定的清算人应当编制清算报告,清算报告包括清算期间各种收支报表和财务账册等,是通过清理企业财产编制出的资产明细表、债权债务清册及其他会计表册,它一方面是便于债权人了解和监督投资人或者人民法院指定的清算人在对个人独资企业财产进行保管、清理、估价、处理和分配这一清算过程中的工作情况,另一方面也是办理个人独资企业注销登记手续所必备的法律文件,因此投资人或者人民法院指定的清算人必须认真编制清算报告,并保证清算报告的内容真实、准确、完整,不得有虚假的记载或不实的谎报。

个人独资企业清算结束后,投资人或者人民法院指定的清算人应当在法定时间内到登记机关办理注销登记。按照本条的规定,个人独资企业清算结束后,投资人或者人民法院指定的清算人应当于十五日内到登记机关办理注销登记。所谓“注销登记”,是指企业因各种原因终止经营活动后,必须办理的一种企业终结手续,它是企业登记管理的一项重要程序和内容,也是一种行政法律关系产生、变更、消灭全过程的关键,对企业来讲是一种法定必须办理和履行的义务,是一个会引起法律后果的行为。注销个人独资企业的法律意义是消灭个人独资企业的民事主体资格,实际意义是消灭个人独资企业这一经营实体。正如个人独资企业的设立以登记机关予以办理设立登记为前提,个人独资企业的消灭也要以登记机关注销其企业登记为最终依据。这里需要强调指出的是,个人独资企业只有清算结束后,才能办理注销登记手续,只有在法定时间内办理了注销登记手续,才算依法履行了法律规定的义务。实践中,有的个人独资企业终止时,没有依法进行清算就擅自处理财产,或者自行解散后不办理注销登记,这都是逃避债务、逃避监督的违法行为,可能会给与企业有利害关系的当事人带来极大的风险,因此法律规定办理注销登记是企业解散的必经程序。

由于引起个人独资企业解散清算的原因不同,所以办理注销登记手续的主体和需提供的证件也不完全相同。按照本法第二十六条的规定,个人独资企业有下列情形之一时,应当解散:(1)投资人决定解散;(2)投资人死亡或者被宣告死亡,无继承人或者继承人决定放弃继承;(3)被依法吊销营业执照;(4)法律、行政法规规定的其他情形。根据这一规定,可大体将个人独资企业解散分为由投资人自行决定解散和非由投资人自行决定解散两类。实际工作中,对上述两类不同原因引起的解散在办理注销登记手续时,登记机关要求提供的证件是有所区别的,一般情况下由投资人自行决定解散的注销登记，投资人应提交的证件有：注销登记申请书、财产清理和处分证明、债权债务清理证明、完税证明、与职工解除劳动合同的证明或者协议书、其他有关证明等；非由投资人自行决定解散而进行注销登记，人民法院指定的清算人除应提供以上证明（不含注销登记申请书）外还应提交的证件有：经工商行政管理部门依法吊销营业执照的，应提供行政处罚决定书，因法院裁决等其他原因的，应当提交相应的法律文书等。登记机关经过审查，对手续齐备的注销登记的申请予以核准注销。

本条虽无对登记机关办理个人独资企业注销登记作出具体明确的规定，但实践中应注意以下几个问题：(1)按照管辖范围和管辖权限来办理注销登记手续；(2)应特别注意个人独资企业债务的清查和债务清偿证明合法性的审查，因为注销登记就是个人独资企业作为债务主体的消灭，由此可能会给债权人带来经济损失或民事侵害；(3)注销登记的同时，一并收缴营业执照和企业的公章、财产专用章、合同专用章等各类印章；(4)登记机关应当出具注销通知书，告知企业的开户银行和税务机关作为清理注销银行账号、税务登记之用，并留本机关存档；(5)整个审查注销登记过程的要求，应与设立登记一样，均应严格依法进行。登记机关核准个人独资企业注销登记之日为个人独资企业终止之日，从此个人独资企业丧失了民事主体资格，不得再以该企业名义从事任何生产经营活动。登记机关办理个人独资企业注销登记之后，应当发布企业注销登记公告，依法确认个人独资企业消灭这一法律事实所具有的法律效力。

第五章　法律责任

第三十三条　违反本法规定，提交虚假文件或采取其他欺骗手段，取得企业登记的，责令改正，处以五千元以下的罚款；情节严重的，并处吊销营业执照。

【释义】本条是对提交虚假文件或采取其他欺骗手段取得企业登记违法行为应承担法律责任的规定。

根据本法第九条的规定，申请设立个人独资企业，应当由投资人或者其委托的代理人向个人独资企业所在地的登记机关提交设立申请书、投资人身份证明、生产经营场所使用证明等文件。委托代理人申请设立登记时，应当出具投资人的委托书和代理人的合法证明。个人独资企业不得从事法律、行政法规禁止经营的业务；从事法律、行政法规规定须报经有关部门审批的业务，应当在申请设立登记时提交有关部门的批准文件。这是关于申请设立个人独资企业应当提交有关文件的规定，上述需要提交的设立申请书、投资人身份证明、生产经营场所使用证明、投资人的委托书和代理人的合法证明及有关部门的批准文件等，均必须是真实、合法、有效的文件。如果投资人或代理人提交的上述文件不是真实、合法、有效的，或者采取了其他欺骗手段，取得了企业登记，即属于本条“违反本法规定，提交虚假文件或采取其他欺骗手段，取得企业登记”的情形，构成了一种违法行为，依法应承担相应的法律责任。

本条中所说的“虚假文件”，主要是指设立申请书、投资人身份证明、生产经营场所使用证明等文件和从事法律、行政法规规定须报经有关部门审批的业务所提交有关部门的批准文件是虚假的，比如说设立申请书中投资人出资额的验资证明是虚构的，或者从事特种行业所提交公安机关的批准文件是伪造的，等等。本条中所谓“其他欺骗手段”，主要是指采取贿赂等非法手段收买登记机关的工作人员，恶意串通，或者采用其他隐瞒事实真相的方法欺骗登记机关的行为。这里需要注意的是，无论提交虚假文件或采取其他欺骗手段，其目的都是为了取得企业登记，如果提交虚假文件或采取其他欺骗手段是为了夸大企业的规模、生产经营条件等，或者是为了去诈骗钱财，且并没有取得企业登记，则应根据其他法律、法规的规定进行处理，不能按本条的规定给予处罚。

按照本条的规定，违反本法规定，提交虚假文件或采取其他欺骗手段，取得企业登记的，应当承担的法律责任是给予行政处罚。行政处罚是指行政机关依法对违法行为人违反行政管理方面的规定所给予的行政上的制裁。行政处罚按其性质划分，大体可分为四类：一是警告等申诫罚；二是罚款、没收非法财产等财产罚；三是吊销许可证和执照、责令停产停业等行为罚或称能力罚；四是涉及人身权利的人身自由罚。我国行政处罚法规定，行政处罚的种类包括：警告；罚款；责令停产停业；暂扣或者吊销许可证、暂扣或者吊销执照；没收违法所得、没收非法财物；行政拘留；法律规定的其他行政处罚。行政处罚的实施机关是具有行政处罚权的行政机关和法律、法规授权的具有管理公共事务职能的组织。

本条规定违法取得企业登记的，责令改正，处以五千元以下的罚款；情节严重的，并处吊销营业执照。就是既规定了财产罚又规定了行为罚。这里需要指出，对任何一种违法行为，均应当予以改正，责令改正不应当是一种处罚，所以行政处罚法并未将责令改正包括在行政处罚的种类之中，但是行政机关实施行政处罚时，应当责令当事人改正违法行为或者限期改正违法行为，因此本条对违法取得企业登记的行为，首先是规定责令改正，然后才是给予行政处罚。具体实施这一行政处罚的登记机关也就是我国的工商行政管理机关。

工商行政管理机关对提交虚假文件或采取其他欺骗手段,取得企业登记的,责令改正,处以五千元以下的罚款;情节严重的,并处吊销营业执照。在我国现行法律中,对罚款处罚的规定大体有以下三种方式:一是规定罚款处罚的最高金额;二是规定罚款处罚金额的上限和下限;三是规定罚款处罚金额为某一金额的一定比例。本条就是采取第一种方式,在五千元以下的范围进行处罚。同时对情节严重的,并处吊销营业执照。吊销营业执照是工商行政管理机关强行收回违法当事人营业执照并予以注销的一种非常严厉的行政处罚,它使企业的民事主体资格归于消灭,因此只能适用于违法行为特别严重、已不能行使营业执照所赋予权利的违法者,至于什么样的违法行为算是情节严重,本条没有明确规定,这主要是考虑实际发生的提交虚假文件或采取其他欺骗手段的情况较为复杂,现在还难以在法律上对这种行为在什么情况下才吊销营业执照作出具体规定,有待在今后的执法实践中不断总结经验,所以这里只是作了原则性规定。

第三十四条　违反本法规定,个人独资企业使用的名称与其在登记机关登记的名称不相符合的,责令限期改正,处以二千元以下的罚款。

【释义】本条是对个人独资企业使用的名称与其在登记机关登记的名称不相符合的违法行为应承担法律责任的规定。

任何企业都有自己的名称,名称也就是企业的称谓。企业的名称具有两方面重要意义,从经营上讲,好的名称会吸引交易相对人的注意力和兴趣,增加企业的知名度和经营业绩;从法律上讲,一个企业的名称可以使选用该名称的企业与其他企业相区别,防止误导和欺骗。企业名称的使用具有以下特征:(1)企业名称使用上的标准性,即企业名称的使用必须符合法律规定的标准,企业选用名称时也只能在法定的范围内选定，而不能超出法定标准；(2)企业名称使用上的排他性，这是指企业依法申请登记经核准取得的名称为企业所专有，在一定范围内企业享有对该名称的独占的和排他的使用权，并受法律保护，同时一个企业只能使用一个名称；(3)企业名称使用上的一致性，即企业名称的使用必须与本企业的性质相一致，一方面企业名称标明的责任类型应与企业自身的责任形式相一致，另一方面企业名称的使用必须与从事的营业相适应。正是因为企业名称的重要性，所以法律对企业名称的选择和使用都作出了严格的规定。根据我国企业名称登记管理的有关规定，企业名称在企业申请登记时，由企业名称的登记主管机关核定。企业名称经核准登记注册后方可使用，在规定的范围内享有专用权。企业只准使用一个名称，在登记主管机关辖区内不得与已登记注册的同行业企业名称相同或者近似。企业名称应当由以下部分依次组成：字号（或者商号）、行业或者经营特点、组织形式。企业名称应当冠以企业所在地省（包括自治区、直辖市）或者市（包括州）或者县（包括市辖区）行政区划名称。企业名称应当使用汉字，民族自治地方的企业名称可以同时使用本民族自治地方通用的民族文字。企业使用外文名称的，其外文名称应当与中文名称相一致并报登记主管机关登记注册。企业名称不得含有下列内容和文字：(1)有损于国家、社会公共利益的；(2)可能对公众造成欺骗或者误解的；(3)外国国家（地区）名称、国际组织名称；(4)政党名称、党政军机关名称、群众组织名称、社会团体名称及部队番号；(5)汉语拼音字母（外文名称中使用的除外）、数字；(6)其他法律、行政法规规定禁止的。企业可以选择字号。字号应当由两个以上的字组成。个人独资企业可以使用投资人姓名作字号。企业应当根据其主管业务，依照国家行业分类标准划分的类别，在企业名称中标明所居行业或者经营特点。企业应当根据其组织结构或者责任形式，在企业名称中标明组织形式。所标明的组织形式必须明确易懂等。

个人独资企业名称是个人独资企业存在的重要标志，为避免个人独资企业与其他企业形式相混淆，也防止与实际营业状况不符，以保护交易相对人的利益，本法在“个人独资企业”的设立一章中，将“有合法的企业名称”作为设立个人独资企业应当具备的一项重要条件，同时并进一步规定，个人独资企业的名称应当与其责任形式及从事的营业相符合。如果个人独资企业违反了本法和国家有关企业名称登记管理的规定，使用的名称与其在登记机关登记的名称不相符合的，就构成一种违法行为，依法要承担相应的法律责任。

现实生活中，出于各种动机和目的，确实存在少数个人独资企业使用的名称与其在登记机关登记的名称不相符合的情况，如冒用有限责任公司或者股份有限公司的名称；在企业的名称中使用“有限”或“有限责任”字样；或是在企业的印章、银行账户、牌匾、信笺上所使用的名称与其在登记机关登记的名称不相一致，还有一个突出问题就是使用的企业名称没有做到名副其实，本来是小厂、小店却用大字号、大名称，冠以“环球”“宇宙”“国际”“中国”“中华”等字词，带有某种招摇撞骗的色彩，上述这些不按经核准登记注册的名称使用，擅自变更、乱用乱叫的不规范做法，既容易造成经济秩序的混乱，也容易损害交易相对人的利益，因此是一种法律所禁止的行为。

按照本条的规定，个人独资企业使用的名称与其在登记机关登记的名称不相符合的，企业名称的登记主管机关应责令限期改正，并处以二千元以下的罚款。这里所说的企业名称的登记主管机关是指国家工商行政管理机关和地方各级工商行政管理机关。本条所给予的行政处罚实际上只是处以二千元以下的罚款，即对这种违法行为给予经济上的制裁。至于责令限期改正不应当是一种处罚，因为实施行政处罚的根本目的是为了维护社会秩序和公共利益,保护公民、法人或者其他组织的合法权益,是为了纠正违法行为,教育公民、法人或者其他组织自觉守法。因此,行政机关在处理行政处罚案件时,无论准备对违法行为人处以何种行政处罚,都应首先要求违法行为人及时纠正违法行为,如果对违法行为只罚不管、以罚代管,就会使一些行政违法活动不能得到及时制止,甚至还可能会得以发展造成更严重的后果。所以行政处罚法规定,行政机关实施行政处罚,应当责令当事人改正或者限期改正违法行为。本条的规定就是贯彻了实施行政处罚必须首先纠正违法行为这一原则,这也反映出处以罚款不是根本目的,重要的是要纠正违法行为的立法指导思想。

第三十五条 涂改、出租、转让营业执照的,责令改正,没收违法所得,处以三千元以下的罚款;情节严重的,吊销营业执照。

伪造营业执照的,责令停业,没收违法所得,处以五千元以下的罚款。构成犯罪的,依法追究刑事责任。

【释义】本条是对涂改、出租、转让和伪造营业执照违法犯罪行为应承担法律责任的规定。

营业执照是符合法律条件的企业申请开业登记时由登记机关核发的证明其具有合法经营资格的法律文书,个人独资企业营业执照是个人独资企业享有民事主体资格的合法凭证。一般来讲,申请设立个人独资企业,应当经过投资人或者其委托的代理人申请、登记机关等部门审查批准和登记机关核发营业执照三个主要阶段。根据本法第十二条的规定,登记机关应当在收到设立申请文件之日起十五日内,对符合本法规定条件的,予以登记,发给营业执照;对不符合本法规定条件的,不予登记,并应当给予书面答复,说明理由。由此可见,办理设立登记、取得营业执照是个人独资企业有权从事生产经营活动的前提条件。

我们知道,对个人独资企业的登记发照管理,是国家授权工商行政管理机关依据有关法律、行政法规的规定，代表国家赋予个人独资企业民事主体资格并对其进行监督管理，从而实现登记和监督统一的一种行政管理活动，它是保障合法经营、查处违法活动、维护社会经济秩序的重要手段。通过登记发照，国家从法律上确认了个人独资企业设立的事实，确认了个人独资企业在法律上取得一定主体资格的效力，即具备了以个人独资企业名义从事生产经营活动的权利能力和行为能力，有权正式营业，并凭营业执照刻制公章、开立银行账户、签订合同、刊登广告等。同时，登记发照也意味着个人独资企业法律责任的产生，企业的设立登记完成并取得营业执照后，已经成立的个人独资企业就成为因设立行为和生产经营活动而发生的有关民事责任、行政责任乃至刑事责任的承担者，是法律责任的载体。所以说，营业执照在法律上具有重要意义，经登记机关核准登记发给营业执照以后，任何单位和个人均无权涂改、出租、转让营业执照，更不得伪造营业执照，如有违反，就破坏了国家对个人独资企业登记的证照管理制度，构成了一种违法犯罪行为，依法应承担相应的法律责任。

按照本条第一款的规定，涂改、出租、转让营业执照的，责令改正，没收违法所得，处以三千元以下的罚款；情节严重的，吊销营业执照。这是对虽然通过合法登记程序正式取得了营业执照，但是却涂改、出租、转让营业执照违法行为的处罚规定。所谓“涂改”，是指未经登记机关核准变更注册情况下，任意抹去营业执照上所载明的文字重新改写，也就是擅自变动营业执照的内容，如涂改个人独资企业的登记事项或经营范围等行为；所谓“出租”，是指不符合法律程序私自将营业执照提供给他人使用，以收取一定代价的行为；所谓“转让”，是指不符合法律程序私自把营业执照让与他人使用的行为。出租与转让都是将营业执照交由他人使用，只不过前者中的营业执照在约定的一定期限后还会由个人独资企业收回，而后者则没有时间上的限制。涂改、出租、转让营业执照，使国家很难对个人独资企业进行监督管理,造成社会经济运行中不真实情况的发生,违反了市场经济中公开、公平、公正的基本原则,因此是一种法律明令禁止的违法行为,依法要给予必要的行政处罚。工商行政管理机关在责令当事人改正的同时,要没收因涂改、出租、转让营业执照而获取的一切非法所得,并处以三千元以下的罚款;对于涂改、出租、转让营业执照情节严重的,还应将个人独资企业的营业执照依法强行收回予以注销,这是给予有上述违法行为的个人独资企业的一种最重的行政处罚,也是工商行政管理机关特有的一种行政处罚权。

按照本条第二款的规定,伪造营业执照的,责令停业,没收违法所得,处以五千元以下的罚款。构成犯罪的,依法追究刑事责任。这是对未经合法登记但却伪造营业执照以个人独资企业名义从事经营活动违法犯罪行为的处罚规定。所谓“伪造”,是指没有履行正当法律程序,无核发营业执照权的单位和个人,冒用名义,非法私自制造假营业执照开展经营活动的行为。伪造营业执照的行为,妨害了工商行政管理机关对企业登记监督管理的法律制度,扰乱了社会正常的经济秩序,是一种比较严重的违法犯罪行为。对于未经依法领取营业执照,而是伪造营业执照以个人独资企业名义从事经营活动的,工商行政管理机关应当给予责令停业、没收违法所得,并处以五千元以下罚款的行政处罚。责令停业即是工商行政管理机关对伪造营业执照以个人独资企业名义从事经营活动的违法行为人依法强制其停止经营活动的一种较重的处罚;没收违法所得是工商行政管理机关将伪造营业执照违法行为人的非法所得收归国有的处罚形式;罚款则是工商行政管理机关依法要求伪造营业执照的违法行为人向国家交纳一定数量货币的一种经济处罚。伪造营业执照构成犯罪的,还要依法追究刑事责任。伪造营业执照的犯罪行为属于伪造国家机关证件的犯罪,根据我国刑法第二百八十条第一款的规定,伪造、变造、买卖或者盗窃、抢夺、毁灭国家机关的公文、证件、印章的，处三年以下有期徒刑、拘役、管制或者剥夺政治权利；情节严重的，处三年以上十年以下有期徒刑。因此，对于伪造营业执照构成犯罪的行为，可依上述刑法规定判处三年以下有期徒刑、拘役、管制或者剥夺政治权利；情节严重的，可判处三年以上十年以下有期徒刑。

第三十六条　个人独资企业成立后无正当理由超过六个月未开业的，或者开业后自行停业连续六个月以上的，吊销营业执照。

【释义】本条是对个人独资企业成立后无正当理由超过六个月未开业或者开业后自行停业连续六个月以上违法行为应承担法律责任的规定。

个人独资企业是我国现阶段一种重要的企业组织形式，这类市场主体在促进经济发展、增加财政收入、方便群众生活、防止市场垄断、拓宽就业渠道和保持社会稳定等方面都发挥着积极作用。个人独资企业作为非公有制经济企业还是社会主义市场经济的重要组成部分，我国宪法充分肯定了非公有制经济的地位和作用，并对之采取鼓励和引导的政策，依法促进个人独资企业的健康发展。按照法律的有关规定，个人独资企业非依法登记不得成立，个人独资企业的营业执照的签发日期，为个人独资企业成立日期。这就是说，依法登记是个人独资企业取得民事主体资格的形式条件，首先它表明登记后企业就得到了法律的承认；其次只有经过登记企业才可以开始以自己的名义从事经营活动；再次登记保证了企业的设立符合国家法律的统一要求；最后登记也有利于国家和社会对企业的监督及维护社会经济秩序的稳定。而营业执照则是工商行政管理机关给核准登记的企业颁发的从事符合规定范围生产经营活动的合法凭证，取得营业执照是企业成立的标志。企业成立后，随之就应该开业，着手开展各项生产经营活动。如果个人独资企业成立后无正当理由超过六个月未开业，或者开业后自行停业连续六个月以上，也就是说个人独资企业成立后并不进行生产经营活动，那么这样的个人独资企业成立目的何在呢？因此，对于这种无正当理由的个人独资企业来讲，它就没有继续存在的必要。

由于多数个人独资企业规模较小，事务比较简单，所以法律对它的限制一般较少，因此设立起来比较简便，但是这并不意味着个人独资企业成立后就可以任意行事，国家仍然要对它进行必要的监督管理，这也是维护正常的社会经济秩序所必需的。前面提到的那种成立后无正当理由超过六个月未开业或者开业后自行停业连续六个月以上的个人独资企业，就属于应该清理的范畴。对于有这种行为的个人独资企业，不仅是本身没有继续存在必要的问题，而且国家也不允许其继续存在。根据本条的规定，这是一种严重的违法行为，依法要给予吊销营业执照的行政处罚，即由工商行政管理机关强行收回个人独资企业的营业执照并予以注销，依法取消其民事主体资格。需要指出的是，本条中“无正当理由”是一种原则性表述，至于何为正当理由，何为不正当理由，要靠工商行政管理机关根据具体情况来认定，由于现实生活中个人独资企业成立后未开业或者开业后自行停业的情况十分复杂，而吊销营业执照又是一种最为严厉的行政处罚，所以工商行政管理机关在执法过程中应非常慎重，要通过深入细致的调查了解掌握个人独资企业成立后未开业或者开业后自行停业的真实原因，注意把握既不能允许随意破坏国家法律和制度严肃性的行为，也不能阻碍限制个人独资企业的健康发展，在实践中不断研究和总结，只有这样才能真正做到不纵不枉，保护和规范并重。

第三十七条 违反本法规定，未领取营业执照，以个人独资企业名义从事经营活动的，责令停止经营活动，处以三千元以下的罚款。

个人独资企业登记事项发生变更时，未按本法规定办理有关变更登记的，责令限期办理变更登记；逾期不办理的，处以二千元以下的罚款。

【释义】本条是对未领取营业执照以个人独资企业名义从事经营活动和个人独资企业登记事项发生变更时未办理有关变更登记违法行为应承担法律责任的规定。

根据本法第十三条第二款的规定，在领取个人独资企业营业执照前，投资人不得以个人独资企业的名义从事经营活动。这是关于在领取个人独资企业营业执照前投资人以个人独资企业名义从事经营活动的禁止性规定，换句话说，未领取营业执照以个人独资企业名义从事经营活动的行为是一种违反本法规定的行为，也就是一种违法行为，依法应承担相应的法律责任。

我们知道，企业的设立登记是企业取得法律上主体资格的必经程序。企业无论采取何种方式设立，或准则主义，或核准主义，或特许主义，均须办理企业设立登记手续。所谓企业的设立登记就是指企业的投资人提出企业登记的申请，经登记主管机关核准，确认其法律上的资格，并颁发有关法律文件的行为。我国历来十分重视企业的设立登记工作，并将之作为工商行政管理法律制度的重要内容，通过对企业的设立登记管理，依法确认企业的存在和合法地位，达到促进企业的健康发展，保护合法经营，制止非法经营，维护社会经济秩序的目的。

设立个人独资企业，依法同样必须办理企业设立登记手续，并以取得营业执照这一法律文件作为证明个人独资企业成立的标志，从此个人独资企业才可以开展各种生产经营活动。如果根本没有经过设立申请就擅自开业以个人独资企业名义从事经营活动，或者虽经申请但尚未获得批准就擅自开业进行生产经营活动，都属于未领取营业执照的无照经营行为，不仅破坏了社会正常的经济秩序，而且也违反了企业登记管理制度，构成了一种违法行为，按照本条第一款的规定，工商行政管理机关要给予责令停止经营活动,并处以三千元以下罚款的行政处罚。

根据本法第十五条的规定,个人独资企业存续期间登记事项发生变更的,应当在作出变更决定之日起的十五日内依法向登记机关申请办理变更登记。这是关于个人独资企业登记事项发生变更的应当依法办理变更登记的规定,如果个人独资企业登记事项发生变更时,未按这一条的规定办理有关的变更登记,就违反了法律规定的义务,构成了一种违法行为,依法应承担相应的法律责任。

企业的变更概括来讲是指构成企业各要素的变化。一般来说,企业一经工商行政管理机关核准登记,领取了营业执照以后,必须在所核定的登记事项范围内开展生产经营活动,企业的各个重要事项——名称、住所、出资额和出资方式、经营范围和组织机构等都不得随意变动,以保证法律的严肃性和企业的稳定性,维护正常的社会秩序。但是社会经济情况总是在不断发展变化,为了适应这种变化,便于企业生产经营活动的顺利进行,允许企业能够通过一定的法律程序进行变更。企业的设立是经登记而生效的,企业要变更也只能采取相同的法律程序,撤销设立时所登记的事项,进行新的变更后的事项登记,变更才能发生法律效力,所以变更登记与设立登记一样是工商行政管理法律制度的重要组成部分,它一方面适应了企业变化的需要,有利于保护与变更企业有关的其他当事人的合法权益,另一方面也便于国家对企业实行监督管理,及时掌握企业的各种变化动态。

个人独资企业在其存续期间,同样可能由于各种原因而发生登记事项的变化以及组织的变更,如确实因为生产经营的实际情况需要改变经核准的登记事项的,如改变企业的名称、住所、经营范围等登记事项,那么个人独资企业就应当依照本法第十五条的规定在作出变更决定之日起的十五日内向登记机关申请办理变更登记。如果个人独资企业登记事项发生变更时,不按照本法的规定办理有关的变更登记,显然就违反了法律的义务性规范。实践中有些个人独资企业在领取了营业执照后,为扩大经营,争取更多利润,擅自改变登记的主要事项而未办理变更登记,如随意改变核定的经营场所或企业名称;增加或减少核定的从业人员;超出核定的经营范围等,这都属于违法行为,按照本条第二款的规定,工商行政管理机关应责令限期登记;对于逾期仍不登记的,应处以二千元以下的罚款。责令限期登记实际上是责令改正的一种形式,针对不依法申请办理变更登记的行为,首先就是应责令当事人限期改正不办理有关变更登记的违法行为,如果个人独资企业在限期内办理了变更登记,也就不再给予行政处罚;如果个人独资企业逾期仍不办理有关变更登记的,工商行政管理机关在继续责令其限期登记的同时,应给予必要的经济上的处罚,即处以二千元以下的罚款。

第三十八条 投资人委托或者聘用的人员管理个人独资企业事务时违反双方订立的合同,给投资人造成损害的,承担民事赔偿责任。

【释义】本条是对投资人委托或者聘用的人员违反合同的约定给投资人造成损害行为应承担法律责任的规定。

个人独资企业的重要特点是个人投资、规模小、经营管理的方式灵活多样。既然个人独资企业是投资人个人出资设立的,那么投资人就有权自行决定企业内部事务管理的方式。在现实生活中,个人独资企业管理的方式也确是多种多样的,有的投资人自己管理,有的是家庭成员共同管理,也有的委托或者聘用其他人管理。为此,本法第十九条明确规定,个人独资企业投资人可以自行管理企业事务,也可以委托或者聘用其他具有民事行为能力的人负责企业的事务管理。投资人委托或者聘用他人管理个人独资企业事务,应当与受托人或者被聘用的人签订书面合同,明确委托的具体内容和授予的权利范围。受托人或者被聘用的人员应当履行诚信、勤勉义务，按照与投资人签订的合同负责个人独资企业的事务管理。

个人独资企业投资人事必躬亲地处理个人独资企业各项事务不仅在实际操作中会有诸多不便，增加了成本，降低了效率，而且投资人也并非都能胜任。因此，为有利于加强个人独资企业的事务管理，提高经济效益，有的投资人就委托或者聘用其他具有民事行为能力的人来负责个人独资企业的事务管理，至于受托人或者被聘用的人员到底是个人独资企业对外开展经营活动的代表人，还是个人独资企业内部的管理者；是集人、财、物管理于一身，还是只负责投资人决定事务的具体执行，以及他们可能被冠以什么样的头衔，这一切完全取决于投资人与受托人或者被聘用的人员签订的书面合同中委托的具体内容和授予的权利范围，而一旦受托人或者被聘用的人员接受了委托或者聘用，也就意味着他们接受了投资人的权力约束，愿意按照与投资人签订的合同来负责个人独资企业的事务管理。

由于投资人与受托人或者被聘用的人员之间形成了一种委托聘用的合同关系，因此，受托人或者被聘用的人员应当按照投资人委托的具体内容和授予的权利范围履行职务，这是他们应尽的合同义务，如果投资人委托或者聘用的人员管理个人独资企业事务时违反双方订立的合同，也就是违反了合同的约定，依法应当承担相应的违约赔偿责任。根据我国民法通则和合同法有关违约责任的规定，当事人一方不履行合同义务或者履行合同义务不符合约定条件的，另一方有权要求履行或者采取补救措施，并有权要求赔偿损失。当事人一方不履行合同义务或者履行合同义务不符合约定的，应当承担继续履行、采取补救措施或者赔偿损失等违约责任。当事人一方不履行合同义务或者履行合同义务不符合约定，给对方造成损失的，损失赔偿额应当相当于因违约所造成的损失，包括合同履行后可以获得的利益,但不得超过违反合同一方订立合同时预见到或者应当预见到的因违反合同可能造成的损失。

本条正是根据民法通则和合同法确定的上述原则,具体规定投资人委托或者聘用的人员管理个人独资企业事务时违反双方订立的合同,给投资人造成损害的,承担民事赔偿责任。所谓民事赔偿责任,属于民事责任的一种方式,民事责任是按照一般民事法律的基本原则,民事责任行为人在违反自己的民事义务或侵犯他人的民事权利时应当承担的法律后果。民事责任方式即是由民事法律规定的承担民事责任的具体形式,它表现为国家对民事责任行为人采取的制裁措施和对被侵害的权利采取的补偿与救济的方法。民事赔偿责任属于财产责任方式,它是以补救财产权利损害为目的而强制责任人承担财产上不利后果为内容的责任形式。

按照本条的规定,受托人或者被聘用的人员承担民事赔偿责任,就是要求他们承担赔偿投资人损失的民事责任,这一损失既包括因受托人或者被聘用的人员违反合同所造成的投资人现有财产的减少,又包括投资人本来可以得到却因受托人或者被聘用的人员违反合同而未得到的利益损失,也就是说赔偿损失要贯彻完全赔偿的原则。对于受托人或者被聘用的人员违约行为规定严格的法律责任,有助于防止受托人或者被聘用的人员不按照投资人委托的具体内容和授予的权利范围管理个人独资企业事务,超越委托授权滥用权力从事经营活动,以及未履行诚信、勤勉义务,因故意或重大过失等渎职行为给个人独资企业投资人造成损害,以保护个人独资企业及其投资人的合法权益,维护正常的社会经济秩序。

第三十九条 个人独资企业违反本法规定,侵犯职工合法权益,未保障职工劳动安全,不缴纳社会保险费用的,按照有关法律、行政法规予以处罚,并追究有关责任人员的责任。

【释义】本条是对个人独资企业侵犯职工合法权益的违法行为应承担法律责任的规定。

个人独资企业的劳动关系虽然具有雇佣性质,但由于职工在国家中的政治地位和经济地位已发生了根本的变化,因此,为了维护职工的合法权益、促进社会经济发展,在个人独资企业中应当特别重视职工权益的保护,国家要通过立法手段对个人独资企业的劳动关系施加种种有力的干预。鉴于目前在个人独资企业中侵犯职工合法权益和人身权利的事件时有发生,如在劳动关系方面出现的不签订劳动合同或者签订"霸王合同";劳动时间长、强度大,劳动安全条件差,缺乏必要的劳动保护;拖欠职工工资、不缴纳社会保险费用;虐待、侮辱职工等现象比较严重。为此,本法有针对性地规定:个人独资企业应当依法招用职工。职工的合法权益受法律保护。个人独资企业职工依法建立工会,工会依法开展活动。个人独资企业招用职工的,应当依法与职工签订劳动合同,保障职工的劳动安全,按时、足额发放职工工资。个人独资企业应当按照国家规定参加社会保险,为职工缴纳社会保险费。对于上述法律规定,个人独资企业有义务认真遵守,如有违反就构成违法行为,依法要承担相应的法律责任。

本条中"侵犯职工合法权益"是一个概括性规定,它包含的行为比较广泛。根据我国调整劳动关系的基本法律——劳动法的规定,劳动者享有平等就业和选择职业的权利、取得劳动报酬的权利、休息休假的权利、获得劳动安全卫生保护的权利、接受职业技能培训的权利、享受社会保险和福利的权利、提请劳动争议处理的权利以及法律规定的其他劳动权利。这些都是劳动者所应享有的基本劳动权利,用人单位应当依法保障劳动者所享有劳动权利的实现。具体到个人独资企业来讲,个人独资企业职工同样享有要求签订平等的劳动合同的权利;按时、足额取得工资的权利;休息休假、劳动保护、社会保险的权利,等等,如果个人独资企业侵犯了职工的上述合法权益，就要按照劳动法等有关法律、行政法规的相应规定予以处罚，并追究有关责任人员的责任。由于侵犯职工合法权益行为的性质、情节、后果各不相同，有关法律、行政法规一般都有具体的处罚规定，所以本条只是作出一个原则性规定，实际执行中还是要根据侵犯职工合法权益违法行为的不同情况适用不同的法律规范给予处罚。

根据本条规定，个人独资企业未保障职工劳动安全的，要按照有关法律、行政法规予以处罚，并追究有关责任人员的责任。保护职工在劳动过程中的安全，是我国劳动法律的主要内容之一。劳动安全是劳动保护的一个重点，而劳动保护是国家调整劳动关系的一项基本法律原则。党和国家一贯重视劳动保护工作，制定了一系列有关劳动保护的法律、法规，采取各种有效措施，不断改善劳动条件，以保证职工在生产过程中的生命安全和身体健康。劳动保护也是企业管理的重要原则，企业必须贯彻“安全第一，预防为主”的劳动保护方针，执行劳动保护法规，重视改善劳动条件，防止和避免可能发生的伤亡事故，消除有损职工健康的各种不安全的因素，这些都是企业应当履行的重要法律义务，企业一旦违反则应承担相应的法律责任。个人独资企业作为我国现阶段一种重要的企业组织形式，吸纳了大量的职工，同样有义务严格遵守国家有关劳动保护的法律、行政法规，建立必要的规章制度，提供劳动安全和卫生设施，保障职工的安全和健康，对于个人独资企业未保障职工劳动安全的，国家劳动行政管理机关要按照法律、行政法规的规定予以处罚，并追究个人独资企业投资人等责任人员的法律责任。

依据本条规定，个人独资企业不缴纳社会保险费用的，也应按照有关法律、行政法规予以处罚，并追究有关责任人员的责任。社会保险是国家通过立法强制征集专门资金用于劳动者在丧失劳动能力或劳动机会时保障其基本生活需求的一种物质帮助制度。我国社会保险现包括疾病和医疗保险、工伤保险、养老保险、失业保险和生育保险五种。个人独资企业应当按照国家规定参加社会保险,为职工缴纳其应负担的社会保险费份额。然而现实生活中确有一些个人独资企业以种种借口或理由,拒不为职工缴纳社会保险费,这既侵犯了职工的合法权益,也影响了社会的安定和正常秩序,是一种严重的违法行为,国家劳动行政管理机关有权责令个人独资企业缴纳并应按照有关法律、行政法规的规定予以处罚,同时追究个人独资企业投资人等责任人员的法律责任,只有这样才能维护法律的严肃性,保证社会保险费的征收,解决个人独资企业职工在特殊情况下发生的实际困难和生活需求。职工没有了后顾之忧,工作积极性才能调动起来,个人独资企业才能有凝聚力和更大的发展。

第四十条 投资人委托或者聘用的人员违反本法第二十条规定,侵犯个人独资企业财产权益的,责令退还侵占的财产;给企业造成损失的,依法承担赔偿责任;有违法所得的,没收违法所得;构成犯罪的,依法追究刑事责任。

【释义】本条是对投资人委托或者聘用的人员违反本法规定侵犯个人独资企业财产权益行为的法律责任的规定。

一、投资人委托或者聘用的人员违反本法第二十条规定,侵占个人独资企业财产的,应当责令退还侵占的财产。这里所说的退还侵占的财产包括两种情况:一是指投资人委托或者聘用的人员与个人独资企业之间存在合同关系,该合同被确认为无效或者被撤销后,因该行为从个人独资企业所取得的财产,应当返还给投资人。例如,投资人委托或者聘用的人员未经投资人同意,同本企业订立合同或者进行交易,经投资人请求法院确认该合同或者交易行为无效或者被撤销,则从个人独资企业取得的财产应当退还。二是指投资人委托或者聘用的人员非法侵占个人独资企业财产的，应当返还所侵占的财产。例如，投资人委托或者聘用的人员利用职务或者工作上的便利侵占企业财产，擅自将企业资金以个人名义开立账户储存等。退还所侵占的财产，应当退还原物。如果原物已经灭失，退还原物在客观上已不可能，投资人只能要求赔偿损失，而不能要求退还原物。如果应退还的财产原物已由违法行为人转让给了第三人，应当根据不同情况分别处理。如果第三人为善意取得的，应当注意保护善意第三人的利益，以维护交易和市场秩序的稳定。

二、投资人委托或者聘用的人员违反本法第二十条规定，给企业造成损失的，依法承担民事赔偿责任。承担民事赔偿责任，即承担赔偿损失的责任。所谓赔偿损失是指行为人因违反合同约定或者因侵权行为而给他人造成损害，应以其财产赔偿受害人损失的一种承担民事责任的方式。赔偿损失，是承担民事责任的一种最普遍、最常见的方式。投资人委托或者聘用的人员从事本法第二十条所禁止的行为，侵害个人独资企业的财产，致使财产损坏不能修复或者原物已经灭失，不能返还的，或者侵害个人独资企业的知识产权以及其他民事权利，造成财产损失的，投资人可以要求其赔偿损失。如果投资人委托或者聘用的人员不予赔偿，投资人可以向人民法院提起民事诉讼，请求获得赔偿。

三、投资人委托或者聘用的人员从事上述行为，有违法所得的，应当予以没收。违法所得通常是指违法行为人通过其违法行为所获得的非法收入。但是，具体到每一种行为，哪些收入属于违法所得，如何计算等，作出行政处罚决定的机关应当根据实际情况确定。对违法行为人处以没收违法所得，并不排除受害人依照本法和有关法律、行政法规的规定要求违法行为人承担民事赔偿责任。

四、投资人委托或者聘用的人员从事上述行为，构成犯罪的，依法追究刑事责任。根据刑法及《最高人民法院关于执行〈中华人民共和国刑法〉确定罪名的规定》，投资人委托或者聘用的人员违反本法第二十条规定的行为，可能构成以下犯罪：（1）根据刑法第一百六十四条的规定，投资人委托或者聘用的人员违反本法第二十条第（一）项规定，利用职务上的便利，索取他人财物或者非法收受他人财物，为他人谋取利益数额较大的，构成企业人员受贿罪，处五年以下有期徒刑或者拘役。数额巨大的，处五年以上有期徒刑，可以并处没收财产。投资人委托或者聘用的人员在经济往来中，违反国家规定，收受各种名义的回扣、手续费，归个人所有的，依照前述规定处罚。（2）根据刑法第二百七十一条的规定，投资人委托或者聘用的人员违反本法第二十条第（二）项的规定，利用职务上的便利，将本单位财物非法占为已有，数额较大的，构成职务侵占罪，处五年以下有期徒刑或者拘役。数额巨大的，处五年以上有期徒刑，可以并处没收财产。（3）根据刑法第二百七十二条的规定，投资人委托或者聘用的人员违反本法第二十条第（三）项规定，利用职务上的便利，挪用本单位资金归个人使用或者借贷给他人，数额较大、超过三个月未还的，或者虽未超过三个月，但数额较大进行营利活动的，或者进行非法活动的，构成挪用资金罪，处三年以下有期徒刑或者拘役。挪用本单位资金数额巨大的，或者数额较大不退还的，处三年以上十年以下有期徒刑。（4）根据刑法第二百一十九条的规定，投资人委托或者聘用的人员违反约定或者违反权利人有关保守商业秘密的要求，披露、使用或者允许他人使用其所掌握的商业秘密，给投资人造成重大损失的，构成侵犯商业秘密罪，处三年以下有期徒刑或者拘役，并处或者单处罚金。造成特别严重后果的，处三年以上七年以下有期徒刑，并处罚金。

第四十一条 违反法律、行政法规的规定强制个人独资企业提供财力、物力、人力的，按照有关法律、行政法规予以处罚，并追究有关责任人员的责任。

【释义】本条是对违法强制个人独资企业提供财力、物力、人力的行为的处罚规定。

一、任何单位和个人不得违反法律、行政法规的规定，以任何方式强制个人独资企业提供财力、物力、人力。个人独资企业是独立自主经营的市场主体，其在发展国民经济、促进就业、增加财政收入等方面起着十分重要的作用。国家依法保护个人独资企业的财产及其他合法权益。近年来，一些单位和个人，特别是一些政府和政府有关部门，违反法律、行政法规的规定，强制企业包括个人独资企业提供财力、物力、人力的现象，较为严重。国务院多次发布决定加以制止，例如国务院 1988 年 4 月发布《禁止向企业摊派暂行条例》，1990 年 2 月发布《关于切实减轻农民负担的通知》，中共中央、国务院 1990 年 9 月发布《关于坚决制止乱收费、乱罚款和各种摊派的决定》，1997 年 7 月发布《关于治理向企业乱收费、乱罚款和各种摊派等问题的决定》，但这一问题一直没有得到很好解决。违反法律、行政法规的规定，强制企业提供财力、物力、人力的行为，严重干扰了企业正常的生产经营活动，加重了企业负担，助长了不正之风，损害了党和政府同人民群众的关系，应当严格禁止，并应当依法加以惩处。因此，本法第二十五条规定，任何单位和个人不得违反法律、行政法规的规定，以任何方式强制个人独资企业提供财力、物力、人力；对于违法强制提供财力、物力、人力的行为，个人独资企业有权拒绝。

二、对违法强制个人独资企业提供财力、物力、人力的行为的处罚。本条只对强制个人独资企业提供财力、物力、人力的行为的处罚作了原则规定，即按照有关法律、行政法规予以处罚，并追究有关责任人员的责任。这主要有以下几点考虑：一是，违法强制个人独资企业提供财力、物力、人力的行为表现多种多样，有的地区和单位违反法律、行政法规的规定，任意增加收费项目，提高收费标准,名目繁多,标准过高;有的随意对企事业单位和群众罚款,甚至乱设关卡,敲诈勒索;有的搞建设、办事业不量力而行,强制集资摊派;有的强制企业赞助、资助、捐献财物;有的强制企业购买有价证券或参加保险;有的将公益性义务劳动改变为向企业摊派财物。此外,有些地方还出现带有黑社会性质的犯罪团伙,向企业强取豪夺。在本法中对各种各样的违法强制个人独资企业提供财力、物力、人力的行为一一作出具体处罚规定,有很大难度。二是,有关行政法规对上述违法行为处理程序及处罚已有规定。根据《禁止向企业摊派暂行条例》的规定,对任何单位的违法强制提供财力、物力、人力,企业有权拒绝。任何单位和个人都有权向审计机关或其他有关部门控告、检举、揭发。计划、财政、物价、税务、银行等部门在履行职责过程中,发现违法强制企业提供财力、物力、人力的行为,应当及时制止;制止无效时应当移送审计机关立案处理。审计机关对于收到的控告、检举、揭发以及其他部门移送的案件,可以会同有关部门进行调查。经审计机关确认为违法强制企业提供财力、物力、人力行为的,审计机关应当责令其停止违法行为,并限期退回财物;期满不退回的,审计机关可以书面通知违法单位的开户银行从其有关存款中扣还。财物已不存在而无法追回时,审计机关可以通知有关部门扣缴相当于财物价值的款额,或采取其他经济补偿措施。对违法单位的负责人和直接责任人员,监察机关或有关主管部门可根据情节轻重给予相应的行政处分,包括警告、记过、记大过、降级、降职、撤职、留用察看和开除等。三是,如果违法强制个人独资企业提供财力、物力、人力的行为构成犯罪的,应当依据刑法的有关规定追究刑事责任,本法可不作具体规定。

第四十二条 个人独资企业及其投资人在清算前或清算期间隐匿或转移财产,逃避债务的,依法追回其财产,并按照有关规定予以处罚;构成犯罪的,依法追究刑事责任。

【释义】本条是对个人独资企业及其投资人在清算前或清算期间隐匿、转移财产行为的法律责任的规定。

一、个人独资企业及其投资人在清算前或清算期间不得隐匿或转移财产以逃避债务。本条所说的个人独资企业的清算，是指个人独资企业因解散而依照本法和有关法律、行政法规的规定清理个人独资企业债权、债务的活动。根据本法的有关规定，个人独资企业有下列情形时，应当解散：(1)投资人决定解散；(2)投资人死亡或者被宣告死亡，无继承人或者继承人决定放弃继承；(3)被依法吊销营业执照；(4)法律、行政法规规定的其他情形。个人独资企业解散，可以由投资人自行清算或者由债权人申请人民法院指定清算人进行清算。个人独资企业清算的法律结果，是个人独资企业的生产经营资格归于消灭。个人独资企业的清算活动，涉及国家、个人独资企业及其投资人、个人独资企业职工、债权人、债务人等各方面的经济利益关系，为了保证清算活动的公平、公正，避免所欠职工工资、社会保险费用、税款及债权人的债权落空，个人独资企业的清算活动应当按照法律规定的程序进行，并且个人独资企业及其投资人在清算前和清算期间不得转移、隐匿财产。个人独资企业与具有法人资格的企业不同，其在因解散而清偿债务时，首先应当以属于个人独资企业的财产予以清偿。同时，由于个人独资企业不具有法人资格，没有自己独立的财产，如果其财产不能或者不能全部清偿其债务，则应以投资人的其他财产予以清偿。因此，在清算完结前，个人独资企业不能转移、隐匿其财产，其投资人也不得转移、隐匿其个人财产。

二、个人独资企业及其投资人在清算前或清算期间隐匿和转移财产以逃避债务的，首先应当依法追回其财产。一般情况下，应当由个人独资企业职工、债权人或者人民法院指定的清算人申请人民法院确认个人独资企业及其投资人是否在清算完结前隐匿或者转移财产，并予以追回。如果个人独资企业转移、隐匿财产的行为已构成犯罪，公安机关可以依照法定程序追回所转移、隐匿的财产。如果个人独资企业欠缴税款，并且确有转移、隐匿财产的行为，税务机关可以依照税收征收管理法的有关规定，将其隐匿、转移的财产予以追回。

三、对个人独资企业及其投资人非法隐匿、转移财产的行为，依据有关规定予以处罚。根据税收征收管理法第四十一条的规定，如果个人独资企业欠缴应纳税款，个人独资企业及其投资人采取转移或者隐匿财产的手段，致使税务机关无法追缴欠缴的税款，数额不满一万元的，由税务机关追缴欠缴的税款，处以欠缴税款五倍以下的罚款。除上述规定外，目前还没有关于个人独资企业及其投资人非法转移、隐匿财产行为的处罚规定，在制定本法的实施办法时可以对此作出具体规定。

四、个人独资企业及其投资人非法隐匿、转移财产的行为构成犯罪的，应当依法追究刑事责任。根据刑法第一百六十二条及《最高人民法院关于执行〈中华人民共和国刑法〉确定罪名的规定》，个人独资企业进行清算时，隐匿财产，严重损害债权人或者其他人利益的，构成妨害清算罪。这里有几个问题需要说明：一是，按照刑法的规定，个人不能成为本罪的主体。如果隐匿、转移财产的行为不是以个人独资企业的名义进行的，而是以投资人的名义进行的，应当作何认定呢？由于个人独资企业只有一个投资人，投资人可以决定处理企业的所有事务，并且个人独资企业不具有法人资格，企业财产与投资人的个人财产不可区分，企业债务以投资人的全部财产承担，因此投资人隐匿、转移财产以逃避个人独资企业债务的行为应视为个人独资企业的行为。二是，法院指定的清算人与个人独资企业及其投资人串通勾结共同实施隐匿财产的行为，应当作为共同犯罪处理。三是，本罪在客观方面表现为以逃避债务为目的，在清算时隐匿财产。刑法第一百六十二条规定的“隐匿财产”应作广义的解释，是指以逃避债务为目的，采取藏匿、转移以及其他手段隐匿财产的行为。四是,个人独资企业及其投资人隐匿财产的行为严重损害债权人或者其他人利益的,才构成犯罪。这里所说的“严重损害债权人的利益”,主要是指个人独资企业及其投资人实施的隐匿财产的行为使债权人的巨额债权得不到应有的偿还。“严重损害其他人的利益”是指个人独资企业及其投资人实施的隐匿财产的行为造成职工工资和社会保险费用长期、严重拖欠以及国家巨额税款得不到清偿等情形。如果个人独资企业及其投资人的上述行为并没有影响到债务的清偿及支付所欠职工工资、社会保险费用及所欠税款,或者虽对债权人及其他人的利益造成损害,但尚未达到严重程度,不能构成此罪,可以依照本条及有关规定处理。按照刑法第一百六十二条的规定,构成本罪,对其直接负责的主管人员和其他直接责任人员,包括个人独资企业的投资人及其他人员,处五年以下有期徒刑或者拘役,并处或者单处二万元以上二十万元以下罚金。

第四十三条 投资人违反本法规定,应当承担民事赔偿责任和缴纳罚款、罚金,其财产不足以支付的,或者被判处没收财产的,应当先承担民事赔偿责任。

【释义】本条是对投资人应当承担民事赔偿责任和缴纳罚款、罚金或者被判处没收财产时如何处理的规定。

一、投资人有违反本法规定的行为,可能导致要承担民事赔偿责任,同时要缴纳罚款、罚金或者被判处没收财产。投资人某一违反本法的行为,可能构成犯罪,按照刑法的有关规定被判处罚金、没收财产等财产刑,可能侵犯其他公民、法人或者其他组织的财产权或者人身权,按照民事法律规范,需要承担民事赔偿责任,同时按照本法和有关法律、行政法规的规定可能被处以罚款处罚,这样就造成了民事赔偿责任、行政责任、刑事责任的竞合。例如,个人独资企业的投资人违反本法第二十二条的规定,未能保障职工劳动安全,给职工的生命、健康造成损害的,应当承担民事赔偿责任。同时,按照劳动法的有关规定,可由劳动部门处以罚款。

二、投资人应当承担民事赔偿责任和缴纳罚款、罚金或者被判处没收财产时的处理。本条采用民事优先的原则,从加强受害人合法权益的保护出发,规定投资人以其财产先行承担民事赔偿责任。这分两种情况:一是对投资人处以罚款的行政处罚或者罚金的刑事处罚,同时应当承担民事赔偿责任,其财产不足以支付时,先承担民事赔偿责任。所谓罚款,是指具有行政处罚权的行政机关对违法行为人作出的剥夺其一定数额金钱的行政处罚;罚金是指强制犯罪分子向国家缴纳一定数额金钱,对罪犯进行经济制裁的一种刑罚处罚方法。财产不足以支付,是指违法行为人或者犯罪人的本人财产的数额少于其应当缴纳的罚款、罚金及赔偿损失的数额之和,而不能同时支付。当投资人的财产可以同时支付时,行政处罚或者刑事处罚的执行机关根据实际情况,可以先赔偿受害人的损失,也可以先执行罚款或者罚金的处罚。当作出行政处罚的机关或者人民法院在对投资人处以罚款或者判处罚金时,应当及时通知受害人,以便受害人提出赔偿损失的要求,并按本条规定的原则及时获得民事赔偿。二是投资人被判处没收财产,同时应当承担民事赔偿责任时,先承担民事赔偿责任。所谓没收财产,是指将犯罪分子个人所有的财产的一部分或者全部强行无偿地收归国有的一种刑罚处罚方法。投资人被判处没收财产,同时应当承担民事赔偿责任时,无论其财产为多少,是否能同时支付,都应当先以其财产赔偿受害人的损失。受到投资人的违法犯罪行为不法侵害的公民、法人或者其他组织,在侵害行为发生以后,应当及时向不法行为人或者犯罪分子提出赔偿损失的要求,并向有关机关说明自己的损害情况,或者向人民法院提起民事诉讼或者刑事附带民事诉讼,以确定投资人应承担的民事赔偿责任,以便有关处罚机关或者人民法院在对投资人的违法或者犯罪行为进行处理时，按照本条的规定以行为人的财产先予赔偿，以维护自己的合法权益。

三、投资人用以承担民事赔偿责任的财产，应当是其本人的合法财产，对虽由其占有但属于他人的财产以及非法财产，不应当用以承担民事赔偿责任。

第四十四条　登记机关对不符合本法规定条件的个人独资企业予以登记，或者对符合本法规定条件的企业不予登记的，对直接责任人员依法给予行政处分；构成犯罪的，依法追究刑事责任。

【释义】本条是对登记机关违法登记行为的法律责任的规定。

一、登记机关应当依法履行登记职责。根据本法的有关规定，登记机关在办理个人独资企业设立登记事项时，一是应当审查设立个人独资企业是否具备下列条件：(1)投资人为一个自然人；(2)有合法的企业名称；(3)有投资人申报的出资；(4)有固定的生产经营场所和必要的生产经营条件；(5)有必要的从业人员。主要是审查申请人向登记机关提交的设立申请文件，包括设立申请书、投资人身份证明、生产经营场所使用证明等文件是否齐备、真实、合法。二是审查个人独资企业拟从事的经营业务是否为法律、行政法规所禁止经营的业务，或者是否是法律、行政法规规定须报经有关部门审批的业务。如果是法律、行政法规禁止经营的业务，登记机关应当不予登记。如果是法律、行政法规规定须报经有关部门审批的业务，应当审查申请人提交的有关部门的批准文件是否齐备、真实、合法。对设立个人独资企业的申请，登记机关应当在法定期限内作出是否登记的决定，对不予登记的，还应当作出书面答复并说明理由。如果登记机关违法履行职责，对符合本法规定条件的企业不予登记，则侵害了当事人的合法权益，损害了登记机关的威信。如果登记机关违法履行职责，对不符合本法规定条件的企业予以登记，特别是对从事法律、行政法规禁止经营的业务的设立申请予以登记的，或者对所从事的业务有严格条件限制，需要有关部门审查批准的设立申请审查不严，对不符合条件予以登记的，就可能会损害国家、个人和其他组织的合法权益，破坏社会经济秩序。

二、对登记机关的违法登记行为，对直接责任人员依法给予行政处分。所谓行政处分是指国家机关根据法律、行政法规的规定，按照行政隶属关系，对犯有轻微违法行为或者违反内部纪律人员给予的一种制裁。行政处分主要有警告、记过、记大过、降级、降职、撤职、留用察看和开除八种。对登记机关违法登记负有直接责任的人员可以由登记机关或者其上级机关或者监察部门视情节轻重，给予上述行政处分。

三、对登记机关的违法登记行为，构成犯罪的，依法追究刑事责任。登记机关违法履行登记职责，对符合本法规定条件的企业不予登记的，虽然侵害了当事人的民事权利，但其社会危害性不大，可以通过要求登记机关改正、申请行政复议、提起行政诉讼等程序进行纠正，并可视其情节对其直接责任人员依法给予行政处分，一般不会构成犯罪。登记机关及其工作人员违法履行登记职责，对不符合本法规定条件的个人独资企业予以登记的，一般情况下也不会构成犯罪，只有登记机关的工作人员在办理个人独资企业登记事项时有严重的渎职行为，才可能构成犯罪，主要包括两种情况：一是登记机关的工作人员滥用职权、徇私舞弊，对不符合法律规定条件的个人独资企业予以登记，致使公共财产、国家和人民利益遭受重大损失等情况，社会危害性很大时，构成滥用职权罪。按照刑法第三百九十七条的规定，对犯本罪的，处三年以下有期徒刑或者拘役，情节特别严重的，处三年以上七年以下有期徒刑。对于登记机关工作人员徇私舞弊犯本罪的，处五年以下有期徒刑或者拘役，情节特别严重的，处五年以上十年以下有期徒刑。二是登记机关工作人员利用职务上的便利，索取他人财物的，或者非法收受他人财物，为他人谋取利益的（具体到本条就是对不符合本法规定条件的企业予以登记的），构成受贿罪。对犯本罪的，根据情节轻重，分别依照下列规定处罚：(1)受贿数额在十万元以上的，处十年以上有期徒刑或者无期徒刑，可以并处没收财产；情节特别严重的，处死刑，并处没收财产。(2)受贿数额在五万元以上不满十万元的，处五年以上有期徒刑，可以并处没收财产；情节特别严重的，处无期徒刑，并处没收财产。(3)受贿数额在五千元以上不满五万元的，处一年以上七年以下有期徒刑；情节严重的，处七年以上十年以下有期徒刑。受贿数额在五千元以上不满一万元，犯罪后有悔改表现、积极退赃的，可以减轻处罚或者免予刑事处罚。(4)受贿数额不满五千元，情节较重的，处二年以下有期徒刑或者拘役。如果登记机关的工作人员索贿的，应当从重处罚。

第四十五条　登记机关的上级部门的有关主管人员强令登记机关对不符合本法规定条件的企业予以登记，或者对符合本法规定条件的企业不予登记的，或者对登记机关的违法登记行为进行包庇的，对直接责任人员依法给予行政处分；构成犯罪的，依法追究刑事责任。

【释义】本条是对登记机关的上级部门的有关主管人员强令登记机关违法履行登记职责和对登记机关的违法登记行为予以包庇应承担的法律责任的规定。

一、登记机关的上级部门的有关主管人员不得强令登记机关违法履行登记职责并不得对登记机关的违法登记行为进行包庇。这里所说的强令登记机关违法履行登记职责，是指登记机关的上级部门的有关主管人员明知登记机关的行为违反法律规定，仍强迫、命令登记机关对不符合本法规定条件的个人独资企业予以登记，或者对符合本法规定条件的企业不予登记。这里所说的对登记机关的违法登记行为进行包庇，是指登记机关的上级部门的有关主管人员明知登记机关的行为违反法律规定，仍通过各种方式对其违法登记行为进行袒护或者遮掩。各级登记机关作为办理企业登记事项的行政机关，应当严格按照法律规定的条件和程序以及职责权限划分，恪尽职守，秉公行事，坚决防止放弃履行职责、不正当履行职责甚至超越职权、滥用职权等行为，登记机关的有关主管人员更不应当强迫、命令下级机关违法办理企业登记事项，或者对其违法登记行为进行包庇。

二、对登记机关的上级部门的有关主管人员强令登记机关违法履行职责的行为，以及对登记机关违法登记行为进行包庇的行为，一般情况下应当根据有关规定，由本机关或者其上级机关或者监察部门视情节轻重，给予行政处分，包括警告、记过、记大过、降级、降职、撤职、留用察看和开除等。但是，在下面两种情况下，登记机关的上级部门的有关主管人员的上述行为可能构成犯罪：(1)滥用职权、徇私舞弊，强令登记机关对不符合法律规定条件的个人独资企业予以登记，致使公共财产、国家和人民利益遭受重大损失的，则构成滥用职权罪。按照刑法第三百九十七条的规定，对犯本罪的，处三年以下有期徒刑或者拘役，情节特别严重的，处三年以上七年以下有期徒刑。对徇私舞弊犯本罪的，处五年以下有期徒刑或者拘役，情节特别严重的，处五年以上十年以下有期徒刑。(2)明知登记机关的有关人员是犯罪的人，为其提供隐藏处所、财物，帮助其逃匿或者作假证明包庇的，构成包庇罪。这里有几个问题需要说明：一是，本罪为故意犯罪，即行为人必须明知被包庇的人为犯罪的人。二是，登记机关的上级部门的有关主管人员对登记机关而不是对犯罪人进行包庇的，不能构成本罪，而应当按照有关规定给予行政处分。三是，行为人从事了为犯罪人提供隐藏处所、财物，帮助其逃匿或者向司法机关提供虚假证明来帮助犯罪分子逃避法律追究的行为，才能构成本罪。按照刑法第三百一十条的规定，犯本罪的，处三年以下有期徒刑、拘役或者管制，情节严重的,处三年以上十年以下有期徒刑。

第四十六条 登记机关对符合法定条件的申请不予登记或者超过法定时限不予答复的,当事人可依法申请行政复议或提起行政诉讼。

【释义】本条是对登记机关不依法履行登记职责当事人可以依法申请行政复议或提起行政诉讼的规定。

一、登记机关应当在本法规定的期限内办理个人独资企业的登记事项。按照本法第十二条的规定,登记机关应当在收到个人独资企业投资人提交的设立申请文件之日起十五日内,对符合本法规定条件的,予以登记,发给营业执照;对不符合本法规定条件的,不予登记,并应当给予书面答复。登记机关应当及时、正确履行上述职责,以维护当事人的合法权益,保障国家法律的贯彻实施。如果登记机关不依法履行上述职责,当事人可以依法申请行政复议或提起行政诉讼。

二、对登记机关不依法履行登记职责的行为,当事人可以依法申请行政复议。所谓行政复议是指公民、法人或者其他组织认为行政机关的具体行政行为侵犯其合法权益,在一定期限内提出行政复议申请,并由行政复议机关对具体行政行为进行审查并作出处理的行政救济制度。当事人如果认为登记机关不依法履行职责,侵犯其合法权益,可以申请行政复议。申请行政复议主要包括以下几个环节:(一)提出行政复议申请。当事人应当自接到不予登记的决定或者应当给予书面答复的法定期限届满之日起六十日内,向登记机关的上级机关或者登记机关所属的本级人民政府提出行政复议申请。(二)受理行政复议申请。行政复议申请一般自行政复议机关负责法制工作的机构收到之日起即为受理。对不符合行政复议法规定的行政复议申请,行政复议机关应当在五日内进行审查并作出不予受理的决定,书面告知申请人。(三)被申请人对行政复议申请进行答复。行政复议机关负责法制工作的机构应当自行政复议申请受理之日起七日内,将行政复议申请书副本或者行政复议申请笔录复印件发送被申请人。被申请人应当自收到申请书副本或者申请笔录复印件之日起十日内,提出书面答复,并提交当初作出具体行政行为的证据、依据和其他有关材料。(四)行政复议机关对行政复议申请进行审查。行政复议原则上采取书面审查的办法,但是申请人提出要求或者行政复议机关负责法制工作的机构认为有必要时,可以向有关组织和人员调查情况,听取申请人、被申请人和第三人的意见。(五)作出复议处理决定。行政复议机关负责法制工作的机构应当对被申请人作出的具体行政行为进行审查,提出意见,经行政复议机关的负责人同意或者集体讨论通过后,按照下列规定作出行政复议决定:1. 具体行政行为认定事实清楚,证据确凿,适用依据正确,程序合法,内容适当的,决定维持。2. 被申请人不履行法定职责的,决定其在一定期限内履行。3. 如果作出具体行政行为的主要事实不清、证据不足,适用依据错误或者违反法定程序,超越或者滥用职权,具体行政行为明显不当,决定撤销、变更或者确认该具体行政行为违法。决定撤销或者确认该具体行政行为违法的,可以责令被申请人在一定期限内重新作出具体行政行为。4. 被申请人不按照行政复议法的规定提出书面答复、提交当初作出具体行政行为的证据、依据和其他有关材料的,视为该具体行政行为没有证据、依据,决定撤销该具体行政行为。行政复议机关一般应当自受理申请之日起六十日内作出行政复议决定。情况复杂,不能在规定期限内作出行政复议决定的,经行政复议机关的负责人批准,可以适当延长,并告知申请人和被申请人;但是延长期限最多不超过三十日。行政复议机关作出行政复议决定,应当制作行政复议决定书,并加盖印章。行政复议决定书一经送达,即发生法律效力。

三、对登记机关不依法履行登记职责的行为,当事人还可以依法提起行政诉讼。所谓行政诉讼是指公民、法人或者其他组织认为行政机关或者行政机关的工作人员的具体行政行为侵犯其合法权益,依法向人民法院提起诉讼,并由人民法院对具体行政行为进行审查并作出裁判的司法救济制度。当事人认为登记机关对符合法定条件的申请不予登记或者超过法定时限不予答复,侵犯其合法权益,或者当事人对复议机关的行政复议决定不服的,可以依照行政诉讼法的规定向人民法院提起行政诉讼。行政诉讼主要包括以下环节:(一)起诉。当事人应当自接到不予登记的决定之日起三个月内或者在应当给予书面答复的法定期限届满之日起三个月内,向有管辖权的人民法院提起行政诉讼。当事人不服行政复议决定的,可以在收到行政复议决定书之日起十五日内向人民法院提起诉讼。复议机关逾期不作决定的,申请人可以在复议期满之日起十五日内向人民法院提起诉讼。(二)立案。人民法院接到起诉状,经审查,应当在七日内立案或者作出裁定不予受理。原告对裁定不服的,可以提起上诉。(三)审理。人民法院应当在立案之日起五日内,将起诉状副本发送被告。被告应当在收到起诉状副本之日起十日内向人民法院提交作出具体行政行为的有关材料,并提出答辩状。人民法院应当在收到答辩状之日起五日内,将答辩状副本发送原告。人民法院应当组成合议庭,以事实为依据,以法律为准绳,对具体行政行为是否合法进行审查。合议庭审理案件一般要经过法庭事实调查、举证和质证、法庭辩论、最后陈述等程序。(四)判决。人民法院在对行政诉讼案件进行审理后,根据不同情况,分别作出以下判决:1. 具体行政行为证据确凿,适用法律、法规正确,符合法定程序的,判决维持。2. 作出具体行政行为的主要证据不足、适用法律法规错误、违反法定程序、超越职权或者滥用职权的,判决撤销或者部分撤销,并可以判决被告重新作出具体行政行为。3. 被告不履行或者拖延履行法定职责的,判决其在一定期限内履行。人民法院一般应当在立案之日起三个月内作出第一审判决。4. 上诉。当事人不服人民法院第一审判决的，可以在判决书送达之日起十五日内向上一级人民法院提起上诉。当事人不服人民法院第一审裁定的，有权在裁定书送达之日起十日内向上一级人民法院提起上诉。逾期不提起上诉的，人民法院的第一审判决或者裁定发生法律效力。人民法院审理上诉案件，一般应当在收到上诉状之日起两个月内作出终审判决。人民法院审理上诉案件，按照下列情形，分别处理：(1)原判决认定事实清楚，适用法律、法规正确的，判决驳回上诉，维持原判；(2)原判决认定事实清楚，但是适用法律、法规错误的，依法改判；(3)原判决认定事实不清，证据不足，或者由于违反法定程序可能影响案件正确判决的，裁定撤销原判，发回原审人民法院重审，也可以查清事实后改判。

四、本条的规定是针对登记机关的违法登记行为作出的，如果个人独资企业及其投资人认为其他行政机关违反本法规定的行为侵犯其合法权益，也可以依法向有关机关申请行政复议或者向人民法院提起行政诉讼。

第六章　附　　则

第四十七条　外商独资企业不适用本法。

【释义】本条是对外商独资企业不适用本法的规定。

一、外商独资企业是外资企业的一种，是依照中国法律在中国境内设立的其资本由一个外国投资者投资的企业。外商独资企业与个人独资企业比较，有很多相同之处，主要包括：(1)都是依照中国法律在中国境内设立的企业；(2)其投资人均为单一的投资人；(3)都是以盈利为目的从事生产经营活动。但是，二者也存在很多不同点，主要包括：(1)外商独资企业的投资者可以是一个外国企业或者其他经济组织，也可以为一个非中国公民，包括外国人和无国籍人。(2)设立外商独资企业，必须有利于中国国民经济的发展，并且采用先进的技术和设备，或者产品全部出口或大部分出口。设立外商独资企业的申请，由国务院对外经济贸易主管部门或者国务院授权的机关审查批准，设立外商独资企业的申请经批准后，外国投资者方能持批准文件向工商行政管理机关申请登记，领取营业执照。而个人独资企业的设立条件相当宽松，设立程序较为简便，只要有合法的企业名称，有投资人申报的出资，有固定的生产经营场所、必要的生产经营条件和必要的从业人员，企业登记机关就应当在法定的期限内予以登记。除非个人独资企业拟从事的业务为法律、行政法规规定须报经有关部门审批的业务，否则就不需要向登记机关提交批准文件。(3)个人独资企业的财产与投资者的财产不可分，不能独立承担企业债务，其债务以投资人的个人财产来承担。因此，所有的个人独资企业均不具备法人资格。而根据外资企业法的规定,外资企业符合中国法律关于法人条件的规定的,可以依法取得中国法人资格。外商独资企业作为外资企业的一种,也可以取得中国法人资格。

二、外商独资企业可分为两类,一类是一个外国企业或者其他经济组织依照中国法律在中国境内投资设立的企业,另一类是一个非中国公民(外国自然人或者无国籍人)依照中国法律在中国境内投资设立的企业。其中,一个外国企业或者其他经济组织在中国境内投资设立的企业,因其投资者不是自然人,当然不适用本法。而对于投资者为一个非中国公民的外商独资企业,虽其投资者为一个自然人,但其设立条件、设立程序、所享有的权利和承担的义务以及一些经营规范与个人独资企业有很大的不同,并且我国已制定了专门的法律、法规对其予以规范。因此,本条明确规定,外商独资企业不适用本法。关于这一问题,在立法过程中,曾有不同的意见,全国人大财政经济委员会在提请审议《中华人民共和国独资企业法(草案)》议案的说明中指出,目前国家对外商投资企业有专门的法律进行调整,因此对于外商独资企业目前暂不能适用本法,草案对此也未作明确规定。本法的草案在征求各方面的意见的过程中,有的同志建议在本法中明确规定外商独资企业不适用本法。有的同志提出,对外商独资企业应实行国民待遇,不应适用特殊政策,建议将外商独资企业纳入本法调整。全国人大法律委员会在关于《中华人民共和国个人独资企业法(草案)》修改情况的汇报中指出,许多常委委员和一些地方、部门提出,外国人在我国境内设立独资企业涉及的问题比较复杂,目前我国对于外商投资设立企业已有专门的法律规定,外商独资企业可不适用本法。但是草案第二条规定的调整范围并没有排除外商独资企业,对此有必要在法律中加以明确。因此,法律委员会建议增加规定,外商独资企业不适用本法。

第四十八条　本法自2000年1月1日起施行。

【释义】本条是对本法施行日期的规定。

一、本法的施行日期。法律的施行日期即法律的生效日期，也就是一部法律产生法律效力的时间。我国法律对生效日期的规定，主要有以下三种情况：一是，规定法律自公布之日起施行，即公布之日起即产生法律效力。二是，规定法律于某一具体时间起施行，这一具体时间为法律公布一段时间后的某一具体时间。三是，规定法律以另一部法律的施行为前提，在另一部法律颁布施行一段时间后，该法律开始施行。本法属于第二种情况，本法是由第九届全国人民代表大会常务委员会第十一次会议于1999年8月30日通过，同日国家主席江泽民发布第20号主席令予以公布，自2000年1月1日起施行。

二、本法的施行日期作上述规定，主要是从以下几个方面考虑：

一是，个人独资企业是法律规定的一种新的企业形式，虽在经济生活中大量存在，但是广大人民群众对其不是很了解，需要进行广泛宣传。个人独资企业最主要的特点是投资人为一个自然人，投资人对企业债务承担无限责任，不具有法人资格。其范围包括私营企业中的独资企业和符合本法规定条件的个体工商户。这类市场主体已实际存在，并且数量很大。我国现有法律体系将这些性质相同的市场主体赋予不同的称谓，主要是从所有制性质的角度来划分的，这一划分不够科学。对这一类市场主体分别以不同的法律予以调整，也不够系统、统一。根据建立社会主义市场经济法律体系的要求，改变过去按所有制形式划分市场主体的方式，按照市场主体的责任形式和出资方式对其进行基本分类和规范，从这一目的出发，我国已先后制定了公司法、合伙企业法，本法与上述两部法律将成为我国规范市场主体的基本法律规范。社会上可能对个人独资企业的含义、性质、行为规范以及制定本法的意义不是很清楚，需要法制宣传部门、社会媒体加以宣传，使其为广大人民群众所接受，以有利于个人独资企业的发展，有利于本法的贯彻执行。二是，个人独资企业虽然大量存在，但社会上很少使用这一称谓，也没有相应的法规、规章与之配套施行，因此，需要有关部门制定相关规范，例如对个人独资企业的设立条件、设立程序、名称、事务管理以及个人独资企业的税收等问题作出具体规定，以利于本法的贯彻实施。此外，对原有的私营企业中的独资企业以及符合本法规定的条件的个体工商户是否变更登记为个人独资企业及如何按照本法予以规范也应当制定具体的实施办法。这需要一段时间深入细致地研究分析，征求各方面的意见，按照本法规定的原则，从简化程序、提高效率、为个人独资企业的发展提供一个宽松的法律环境的目的出发来制定。

三、本法不具有法律上的溯及力。法律的溯及力是指法律溯及既往的效力，即法律不仅适用于其施行后所发生的行为，而且适用于其施行前所发生的行为。任何一部法律都存在是否具有溯及力的问题，我国的法律一般情况下不具有溯及力，也不在法律中对此作明确规定。如果某一法律具有溯及既往的效力，则会在法律中作出具体规定。本法对其是否具有溯及力未作规定，说明本法不具有溯及力。因此，如果投资人要设立个人独资企业，则应当依照本法规定的条件和程序办理登记，取得营业执照，才能以个人独资企业的名义从事生产经营活动，并且其事务管理、解散清算及其他行为应当严格按照本法的有关规定来进行。对依据其他法律、行政法规的规定已经设立的私营企业中的独资企业和符合本法规定条件的个体工商户，如何按照本法进行规范，国务院可制定具体实施办法对这一问题作出规定。

第三部分　附　　录

附录一：

中华人民共和国个人独资企业法

（1999年8月30日第九届全国人民代表大会常务委员会第十一次会议通过　1999年8月30日中华人民共和国主席令第二十号公布　自2000年1月1日起施行）

目　　录

第一章　总　　则
第二章　个人独资企业的设立
第三章　个人独资企业的投资人及事务管理
第四章　个人独资企业的解散和清算
第五章　法律责任
第六章　附　　则

第一章 总 则

第一条 为了规范个人独资企业的行为，保护个人独资企业投资人和债权人的合法权益，维护社会经济秩序，促进社会主义市场经济的发展，根据宪法，制定本法。

第二条 本法所称个人独资企业，是指依照本法在中国境内设立，由一个自然人投资，财产为投资人个人所有，投资人以其个人财产对企业债务承担无限责任的经营实体。

第三条 个人独资企业以其主要办事机构所在地为住所。

第四条 个人独资企业从事经营活动必须遵守法律、行政法规，遵守诚实信用原则，不得损害社会公共利益。

个人独资企业应当依法履行纳税义务。

第五条 国家依法保护个人独资企业的财产和其他合法权益。

第六条 个人独资企业应当依法招用职工。职工的合法权益受法律保护。

个人独资企业职工依法建立工会，工会依法开展活动。

第七条 在个人独资企业中的中国共产党党员依照中国共产党章程进行活动。

第二章 个人独资企业的设立

第八条 设立个人独资企业应当具备下列条件：

（一）投资人为一个自然人；

（二）有合法的企业名称；

（三）有投资人申报的出资；

（四）有固定的生产经营场所和必要的生产经营条件；

（五）有必要的从业人员。

第九条 申请设立个人独资企业，应当由投资人或者其委托的代理人向个人独资企业所在地的登记机关提交设立申请书、投资人身份证明、生产经营场所使用证明等文件。委托代理人申请设立登记时，应当出具投资人的委托书和代理人的合法证明。

个人独资企业不得从事法律、行政法规禁止经营的业务；从事法律、行政法规规定须报经有关部门审批的业务，应当在申请设立登记时提交有关部门的批准文件。

第十条 个人独资企业设立申请书应当载明下列事项：

（一）企业的名称和住所；

（二）投资人的姓名和居所；

（三）投资人的出资额和出资方式；

（四）经营范围。

第十一条 个人独资企业的名称应当与其责任形式及从事的营业相符合。

第十二条 登记机关应当在收到设立申请文件之日起十五日内，对符合本法规定条件的，予以登记，发给营业执照；对不符合本法规定条件的，不予登记，并应当给予书面答复，说明理由。

第十三条 个人独资企业的营业执照的签发日期，为个人独资企业成立日期。

在领取个人独资企业营业执照前，投资人不得以个人独资企业名义从事经营活动。

第十四条 个人独资企业设立分支机构，应当由投资人或者其委托的代理人向分支机构所在地的登记机关申请登记，领取营业执照。

分支机构经核准登记后，应将登记情况报该分支机构隶属的个人独资企业的登记机关备案。

分支机构的民事责任由设立该分支机构的个人独资企业承

担。

第十五条 个人独资企业存续期间登记事项发生变更的，应当在作出变更决定之日起的十五日内依法向登记机关申请办理变更登记。

第三章 个人独资企业的投资人及事务管理

第十六条 法律、行政法规禁止从事营利性活动的人，不得作为投资人申请设立个人独资企业。

第十七条 个人独资企业投资人对本企业的财产依法享有所有权，其有关权利可以依法进行转让或继承。

第十八条 个人独资企业投资人在申请企业设立登记时明确以其家庭共有财产作为个人出资的，应当依法以家庭共有财产对企业债务承担无限责任。

第十九条 个人独资企业投资人可以自行管理企业事务，也可以委托或者聘用其他具有民事行为能力的人负责企业的事务管理。

投资人委托或者聘用他人管理个人独资企业事务，应当与受托人或者被聘用的人签订书面合同，明确委托的具体内容和授予的权利范围。

受托人或者被聘用的人员应当履行诚信、勤勉义务，按照与投资人签订的合同负责个人独资企业的事务管理。

投资人对受托人或者被聘用的人员职权的限制，不得对抗善意第三人。

第二十条 投资人委托或者聘用的管理个人独资企业事务的人员不得有下列行为：

（一）利用职务上的便利，索取或者收受贿赂；

（二）利用职务或者工作上的便利侵占企业财产；

(三)挪用企业的资金归个人使用或者借贷给他人;

(四)擅自将企业资金以个人名义或者以他人名义开立帐户储存;

(五)擅自以企业财产提供担保;

(六)未经投资人同意,从事与本企业相竞争的业务;

(七)未经投资人同意,同本企业订立合同或者进行交易;

(八)未经投资人同意,擅自将企业商标或者其他知识产权转让给他人使用;

(九)泄露本企业的商业秘密;

(十)法律、行政法规禁止的其他行为。

第二十一条 个人独资企业应当依法设置会计帐簿,进行会计核算。

第二十二条 个人独资企业招用职工的,应当依法与职工签订劳动合同,保障职工的劳动安全,按时、足额发放职工工资。

第二十三条 个人独资企业应当按照国家规定参加社会保险,为职工缴纳社会保险费。

第二十四条 个人独资企业可以依法申请贷款、取得土地使用权,并享有法律、行政法规规定的其他权利。

第二十五条 任何单位和个人不得违反法律、行政法规的规定,以任何方式强制个人独资企业提供财力、物力、人力;对于违法强制提供财力、物力、人力的行为,个人独资企业有权拒绝。

第四章 个人独资企业的解散和清算

第二十六条 个人独资企业有下列情形之一时,应当解散:

(一)投资人决定解散;

(二)投资人死亡或者被宣告死亡,无继承人或者继承人决定放弃继承;

（三）被依法吊销营业执照；

（四）法律、行政法规规定的其他情形。

第二十七条 个人独资企业解散，由投资人自行清算或者由债权人申请人民法院指定清算人进行清算。

投资人自行清算的，应当在清算前十五日内书面通知债权人，无法通知的，应当予以公告。债权人应当在接到通知之日起三十日内，未接到通知的应当在公告之日起六十日内，向投资人申报其债权。

第二十八条 个人独资企业解散后，原投资人对个人独资企业存续期间的债务仍应承担偿还责任，但债权人在五年内未向债务人提出偿债请求的，该责任消灭。

第二十九条 个人独资企业解散的，财产应当按照下列顺序清偿：

（一）所欠职工工资和社会保险费用；

（二）所欠税款；

（三）其他债务。

第三十条 清算期间，个人独资企业不得开展与清算目的无关的经营活动。在按前条规定清偿债务前，投资人不得转移、隐匿财产。

第三十一条 个人独资企业财产不足以清偿债务的，投资人应当以其个人的其他财产予以清偿。

第三十二条 个人独资企业清算结束后，投资人或者人民法院指定的清算人应当编制清算报告，并于十五日内到登记机关办理注销登记。

第五章 法律责任

第三十三条 违反本法规定，提交虚假文件或采取其他欺骗手段，取得企业登记的，责令改正，处以五千元以下的罚款；情节严重的，并处吊销营业执照。

第三十四条　违反本法规定，个人独资企业使用的名称与其在登记机关登记的名称不相符合的，责令限期改正，处以二千元以下的罚款。

第三十五条　涂改、出租、转让营业执照的，责令改正，没收违法所得，处以三千元以下的罚款；情节严重的，吊销营业执照。

伪造营业执照的，责令停业，没收违法所得，处以五千元以下的罚款。构成犯罪的，依法追究刑事责任。

第三十六条　个人独资企业成立后无正当理由超过六个月未开业的，或者开业后自行停业连续六个月以上的，吊销营业执照。

第三十七条　违反本法规定，未领取营业执照，以个人独资企业名义从事经营活动的，责令停止经营活动，处以三千元以下的罚款。

个人独资企业登记事项发生变更时，未按本法规定办理有关变更登记的，责令限期办理变更登记；逾期不办理的，处以二千元以下的罚款。

第三十八条　投资人委托或者聘用的人员管理个人独资企业事务时违反双方订立的合同，给投资人造成损害的，承担民事赔偿责任。

第三十九条　个人独资企业违反本法规定，侵犯职工合法权益，未保障职工劳动安全，不缴纳社会保险费用的，按照有关法律、行政法规予以处罚，并追究有关责任人员的责任。

第四十条　投资人委托或者聘用的人员违反本法第二十条规定，侵犯个人独资企业财产权益的，责令退还侵占的财产；给企业造成损失的，依法承担赔偿责任；有违法所得的，没收违法所得；构成犯罪的，依法追究刑事责任。

第四十一条　违反法律、行政法规的规定强制个人独资企业提供财力、物力、人力的，按照有关法律、行政法规予以处罚，并追究有关责任人员的责任。

第四十二条 个人独资企业及其投资人在清算前或清算期间隐匿或转移财产，逃避债务的，依法追回其财产，并按照有关规定予以处罚；构成犯罪的，依法追究刑事责任。

第四十三条 投资人违反本法规定，应当承担民事赔偿责任和缴纳罚款、罚金，其财产不足以支付的，或者被判处没收财产的，应当先承担民事赔偿责任。

第四十四条 登记机关对不符合本法规定条件的个人独资企业予以登记，或者对符合本法规定条件的企业不予登记的，对直接责任人员依法给予行政处分；构成犯罪的，依法追究刑事责任。

第四十五条 登记机关的上级部门的有关主管人员强令登记机关对不符合本法规定条件的企业予以登记，或者对符合本法规定条件的企业不予登记的，或者对登记机关的违法登记行为进行包庇的，对直接责任人员依法给予行政处分；构成犯罪的，依法追究刑事责任。

第四十六条 登记机关对符合法定条件的申请不予登记或者超过法定时限不予答复的，当事人可依法申请行政复议或提起行政诉讼。

第六章 附 则

第四十七条 外商独资企业不适用本法。

第四十八条 本法自 2000 年 1 月 1 日起施行。

全国人大财政经济委员会关于提请审议《中华人民共和国独资企业法(草案)》的议案

全国人民代表大会常务委员会:

为了规范独资企业的组织和行为,保护独资企业投资人和债权人的合法权益,维护社会经济秩序,促进社会主义市场经济的发展,全国人大财经委员会组织国务院有关部门,根据全国人大常委会立法规划的要求,经过广泛征求意见,认真总结实践经验,拟订了《中华人民共和国独资企业法(草案)》。这个草案业经全国人大财经委员会讨论通过,现提请全国人大常委会审议。

全国人大财经委员会

1999 年 3 月 16 日

关于《中华人民共和国独资企业法（草案）》的说明

——1999年4月26日在第九届全国人民代表大会常务委员会第九次会议上

全国人大财经委员会副主任委员 姚振炎

委员长、副委员长、秘书长、各位委员：

受全国人大财经委员会的委托，我就《中华人民共和国独资企业法（草案）》作如下说明。

根据八届全国人大常委会立法规划的要求，八届全国人大财经委员会组织国家经贸委、原国家体改委、农业部和国家工商局等部门，在充分调查研究，广泛听取各方面意见的基础上，数易其稿，形成了《中华人民共和国独资企业法（草案）》（以下简称草案），经八届全国人大财经委员会全体会议审议后，上报第八届全国人大常委会。

第九届全国人大财经委员会成立后，对草案又进行了调查研究，进一步征求有关方面的意见，并作了必要的修改。这个草案业经九届全国人大财经委员会第22次会议讨论通过，现提请第九届全国人大常委会审议。

草案共6章45条，除总则和附则外，对独资企业的设立、独资企业的投资人及事务管理、独资企业的解散和清算、法律责任等内容分章作了规定。

一、关于制定独资企业法的必要性

独资企业法是调整独资企业法律关系，规范独资企业及其投资人生产经营行为的法律。制定独资企业法，是我国经济发展和深化企业改革以及建立社会主义市场经济法律体系的客观要求。首先，我国正在根据发展社会主义市场经济的要求，对企业组织制度进行必要的改革，即由过去的主要按所有制与行业等属性划分企业，逐步转变为主要按企业的投资方式与责任形式划分企业。按照新的方法将企业划分为公司、合伙企业与独资企业等形式。为了规范新的企业组织形式及法律关系，需要依法规定企业的设立、权利义务、经营准则等内容。目前，公司、合伙企业已制定有专门的法律，迫切需要制定独资企业法对独资企业的设立与经营等进行规范。其次，改革开放以来，随着非公有制经济的发展，我国私人投资企业迅速增加，这类企业很大一部分采用独资企业的形式。据国家工商行政管理部门统计，到 1998 年底，全国注册登记私营企业中的独资企业已达 44.2 万户，同时，还有 3120 万户个体工商户，其中有相当一部分具有独资企业的性质，他们在发展经济、增加财政收入、安置下岗职工、促进就业和保持社会稳定等方面发挥着重要作用。党的十五大和九届全国人大二次会议通过的宪法修正案充分肯定了非公有制经济的地位，明确非公有制经济是国民经济的重要组成部分，这必将促进我国的非公有制经济进一步发展。非公有制经济组织除部分采用公司或合伙企业形式外，有相当部分采用独资企业的形式，制定独资企业法对于促进非公有制经济发展具有重要意义。第三，随着社会主义市场经济的发展，目前我国正在逐步建立与其相适应的法律体系框架。独资企业法与公司法、合伙企业法等法律一样，属于市场主体性立法，是社会主义市场经济法律体系的重要组成部分。在发达的市场经济国家,独资企业的法律关系一般由民事法律调整,我国民法通则在这方面的规定比较原则,制定独资企业法十分必要。

二、关于制定独资企业法的指导思想

制定独资企业法的目的是规范独资企业的组织和行为,保护独资企业及其投资人和交易相对人的合法权益,维护社会经济秩序,促进社会主义市场经济的发展。为了体现这一精神,我们在立法中贯彻了以下指导思想:一是适当放宽独资企业的设立条件,鼓励公民个人投资设立独资企业。我国是一个发展中国家,资源与资金有限,劳动力过剩,鼓励一部分先富裕起来的人以独资企业的形式,把资金投入生产经营,有利于推动国民经济和各项社会事业的发展。二是明确保护独资企业及其投资人的合法权益。当前独资企业在发展中遇到的主要问题是对投资人的财产及合法权益保护不力,非法干预企业自主权和侵占、挪用企业财物行为严重存在,在一定程度上损害了企业及投资人的利益。为了鼓励独资企业发展,保护企业及其投资人合法权益,草案对于侵犯独资企业合法权益的行为进行了严格的限制并规定了相应的法律责任。三是赋予独资企业与其他企业同等的市场主体地位,为独资企业在社会主义市场经济条件下进行公平竞争提供法律保障。四是明确独资企业投资人承担无限责任,当企业财产不足以偿付债务时,要求投资人以自己的其他财产清偿债务,以有效保护债权人和第三人的合法权益。五是目前独资企业在注册登记、事务管理以及解散清算等方面存在一些不规范的做法,草案对此加以必要规范,并对违法行为规定了较严格的法律责任。同时对独资企业从业人员的行为进行约束,以促进独资企业的健康发展。

三、关于独资企业法的调整范围

根据国际上的通行做法和起草过程中各有关方面比较一致的意见。独资企业是一个自然人投资，投资人对企业债务承担无限责任，企业不具备法人地位的经济组织。为此，草案规定本法的调整对象是一个自然人单独投资设立的企业，包括符合草案规定的私营企业和个体工商户，不包括国有企业和集体企业。

国有企业、集体企业不纳入本法调整范围，主要考虑到国有企业、集体企业由国家或集体一方投资，但出资人承担的都是有限责任，而且企业一般具有法人地位，他们不符合独资企业的性质。如果将国有企业和集体企业与自然人投资的独资企业用一部法律进行调整，则在同一部法律中涉及对法人与非法人、有限责任与无限责任的规范，既不符合国际上的通行做法，立法中也有较大难度。目前亟待规范与保护的是自然人投资的独资企业，对这类企业急需规范的问题进行立法，有利于解决他们在当前发展中存在的紧迫问题。

我国的个体工商户大多数由一人投资，一人承担无限责任，其中有相当部分有企业名称，有必要的出资，有固定的生产经营场所和必要的生产经营条件，符合独资企业的性质和条件。将这部分经营组织纳入本法调整，既有利于这类组织的发展，也有利于对他们的管理与规范。同时应当看到，我国以往按雇工人数区分私营企业与个体工商户并对其采取不同政策和管理的做法，在实践中有较多弊病，突出的是有些已有相当规模的私人企业主由于我们管理上的区别往往仍然注册为个体工商户，造成国家税收的流失。因此将符合规定条件的个体工商户纳入本法调整范围，不仅符合市场经济的客观要求，也有利于独资企业的快速、健康发展。草案第八条规定了独资企业应当具备的六项条件，凡符合这些条件的，纳入本法调整；不符合这些条件的，如没有固定经营场所的商贩和某些季节性经营户等不纳入本法调整。

四、关于独资企业投资人的所得税负担问题

根据我国现行的企业所得税法规，纳入本法调整的独资企业，应根据其应税所得额的多少，分别缴纳33%、27%或18%的企业所得税；与此同时，根据《中华人民共和国个人所得税法》，独资企业的投资人从企业分得的利润，还要缴纳20%的个人所得税。本法生效后，有相当部分个体工商户要纳入本法调整范围，但他们过去只按应税所得额5—35%的超额累进税率缴纳个人所得税，纳入独资企业法的调整范围就要增加较多的税收负担，由此造成有些符合独资企业条件的个体工商户不愿意登记为独资企业。由于这个问题涉及税收制度，应与我国整个税收制度的改革结合起来考虑，通过修改完善有关所得税的法律、法规加以解决，而不宜在独资企业法中对解决这一问题作出规定。所以草案第五条只对独资企业及其投资人应当依法纳税作了规定。目前财政、税务部门正在根据我国独资企业、合伙企业发展现状，吸收借鉴其他国家的经验，着手研究解决其所得税负担问题。独资企业法的制定，将推进我国有关所得税法律、法规的修改完善，加快这一问题的解决。

五、对几个具体问题的说明

(一)关于独资企业的定义。草案第二条将本法所指的独资企业定义为："依照本法在中国境内设立的，由一个自然人投资，财产为投资人所有，投资人以其个人财产对企业债务承担无限责任的营利性组织"。从出资形式上讲，独资企业由一人投资，有别于合伙企业和公司的多元投资主体。从出资人的责任形式上讲，独资企业的出资人对企业债务承担无限责任，有别于公司等法人企业投资人承担的有限责任。由于承担无限责任，独资企业投资人的财产与独资企业不能截然分开，当企业财产不足以偿付债务时,投资人要以自己的其他财产偿付债务。

（二）关于最低注册资本金问题。按照鼓励发展、方便设立的原则,草案第八条在规定独资企业的设立条件时,没有规定最低注册资本金要求,仅要求投资人有自己申报的出资。因为独资企业只有一个投资人,是一种比较简单的企业组织形式,而且投资人要以个人的全部财产对企业债务承担无限责任,不规定独资企业的最低注册资本金,既体现了设立简便的原则,又解决了企业交易相对人的利益保护问题,有利于促进独资企业的迅速发展,符合我国现阶段经济发展的实际。同时,规定设立独资企业必须有投资人申报的出资,并对投资者虚假出资,损害他人利益的行为作了必要的处罚规定。这不仅能防止投资人无资金或虚报资金设立企业,又可以避免片面强调出资额,限制和影响资金不足的投资者投资的积极性。

（三）关于独资企业的事务管理。独资企业的事务一般由投资者自行管理,但由于多方面的原因,例如企业规模较大,以及投资人事务繁忙、管理经验不足等,有的投资者需要聘请他人担任企业的经理或厂长,负责企业的事务管理。这类人员管理企业事务需要与投资人签订合同确定职责范围,以便明确责任并有效开展工作。为此,草案第十七条规定:“独资企业投资人可以自行负责企业事务管理,也可以委托其他具有民事权利能力和行为能力的人担任企业的经理(厂长),负责独资企业的事务管理。聘请经理(厂长)代表企业对外进行活动的法律后果由企业承担”。

（四）关于对独资企业的扶持问题。在本法起草过程中,部分同志建议草案增加一些鼓励、扶持独资企业发展的规定。考虑到作为市场主体性立法,应主要规定企业设立与解散、权利义务等内容,有关促进某类企业发展方面的内容,宜由企业振兴或促进方面的法律加以规范。九届全国人大常委会立法规划已明确要制定中小企业促进法,独资企业在中小企业中占有相当比例,因此有关促进独资企业发展方面的内容在中小企业促进法中加以规范更为合适。另一方面,促进独资企业发展的一项重要政策,是要解决其所得税负担过重的问题,对此目前有关部门正在进行研究,不能直接通过制定本法加以解决。至于独资企业依法申请贷款、使用土地等,草案已有所体现。

(五)关于法律责任。草案在法律责任一章对独资企业违法行为应承担的法律责任作了规定,考虑到我国地区之间经济发展不平衡,居民收入水平差距较大,独资企业规模也很悬殊,对于一些具体罚款数额难以作出统一规定。故草案在这方面只规定了有关禁止性条款和违法后应承担的责任,至于罚款的具体数额,拟由国务院依照本法制定实施办法时加以规定。

(六)关于外资独资企业的法律适用。在征求意见中,有的同志提出外资独资企业是否适用本法的问题。由于目前国家对外商投资企业有专门的法律进行调整,因此对于外资独资企业目前暂不能适用本法,草案对此也未作明确规定。

我的说明完了,请审议。

中华人民共和国独资企业法(草案)

目　　录

第一章　总　　则
第二章　独资企业的设立
第三章　独资企业的投资人及事务管理
第四章　独资企业的解散和清算
第五章　法律责任
第六章　附　　则

第一章　总　　则

第一条　为了规范独资企业的组织和行为,保护独资企业投资人和债权人的合法权益,维护社会经济秩序,促进社会主义市场经济的发展,根据《中华人民共和国宪法》,制定本法。

第二条　本法所称独资企业,是指依照本法在中国境内设立,由一个自然人投资,财产为投资人所有,投资人以其个人财产对企业债务承担无限责任的营利性组织。

第三条　独资企业以其主要办事机构所在地为住所。

第四条　独资企业在其名称中不得使用'有限'或'有限责任'字样。

第五条 独资企业从事经营活动必须遵守法律、行政法规，不得损害社会公共利益。

独资企业及其投资人应当依法纳税。

第六条 独资企业的财产和合法权益受法律保护。

第七条 独资企业应当依法招用从业人员。从业人员的合法权益受法律保护。

第二章 独资企业的设立

第八条 设立独资企业应当具备下列条件：

（一）有合法的企业名称；

（二）有设立申请书；

（三）有投资人申报的出资；

（四）有固定的生产经营场所和必要的生产经营条件；

（五）有必要的从业人员；

（六）依照法律、行政法规建立企业的财务、会计制度。

第九条 独资企业设立申请书应当载明下列事项：

（一）企业的名称和住所；

（二）投资人的姓名和住所；

（三）投资人的出资额和出资方式；

（四）经营范围。

第十条 申请设立独资企业，应当由投资人或其代理人向独资企业住所所在地的登记机关提交设立申请书、投资人身份证明、生产经营场所使用证明、验资证明等文件。由代理人申请设立时，应当出具投资人的委托书。

独资企业不得从事法律、行政法规禁止经营的业务；从事法律、行政法规规定须经有关部门审批的业务，应当在申请登记时提交有权部门的批准文件。

第十一条 登记机关应当自收到设立申请书之日起三十日内,作出是否登记的决定。对符合本法规定条件的,予以登记,发给营业执照;不予登记的,给予书面答复,并说明理由。

营业执照的签发日期为独资企业成立日期。

第十二条 独资企业设立分支机构,应当由投资人或其委托的代理人向分支机构所在地的登记机关申请登记,领取营业执照。

分支机构核准登记后,其登记机关应将登记情况报该分支机构隶属的独资企业的登记机关备案。

分支机构的民事责任由设立该分支机构的独资企业承担。

第十三条 独资企业存续期间登记事项发生变更的,应当在变更之日起的十五日内依法向其登记注册的登记机关申请办理变更登记。

第十四条 独资企业存续期间因经营需要,可以依法进行分立,或转变为其他企业组织形式。

独资企业分立或转变为其他企业形式的,应对财产进行必要的分割,并依法进行登记。

第三章 独资企业的投资人及事务管理

第十五条 法律、行政法规禁止从事营利性活动的人,不得申请设立独资企业。

第十六条 独资企业投资人对本企业的财产依法享有所有权,其有关权利可以依法进行转让或继承。

第十七条 独资企业投资人可以自行负责企业事务的管理,也可以委托其他具有民事权利能力和行为能力的人担任企业经理(厂长),负责独资企业的事务管理。聘请经理(厂长)代表企业对外进行活动的法律后果由企业承担。

投资人委托他人担任经理(厂长),应当与被委托人签订书面委托合同,明确授权范围。

被委托人应当履行诚信、勤勉义务,在投资人授权范围内负责独资企业的事务管理。

投资人对被委托人职权的限制,不得对抗不知情的善意第三人。

第十八条 投资人委托的经理(厂长)和其他从业人员不得从事下列行为:

(一)利用职务上的便利,索取或收受贿赂;

(二)利用职务或工作上的便利侵占本企业财产;

(三)擅自挪用企业的资金归个人使用或将企业资金借贷给他人;

(四)擅自将企业资金以个人名义或者以其他人名义开立帐户储存;

(五)擅自以企业财产提供担保;

(六)未经投资人同意,从事与本企业相竞争的业务;

(七)未经投资人同意,同本企业订立合同或进行交易;

(八)泄露本企业的商业秘密;

(九)法律、行政法规禁止的其他行为。

第十九条 独资企业应当依法建立会计帐簿,编制财务报表。独资企业用于年检的财务会计报告应经法定机构进行审计。

第二十条 独资企业可以依法申请贷款、取得土地使用权,并享有法律、行政法规规定的其他权利。

第二十一条 任何单位和个人不得违反法律和行政法规的规定,以任何方式强制独资企业提供财力、物力、人力。对于违反本规定强制提供财力、物力、人力的行为,独资企业有权拒绝。

第四章　独资企业的解散和清算

第二十二条　独资企业因下列情形之一而解散：

（一）投资人决定解散；

（二）投资人死亡或被宣告死亡，无继承人或继承人决定解散；

（三）因违法经营被登记机关吊销营业执照；

（四）法律、行政法规规定的其他情形。

第二十三条　独资企业解散，由投资人自行对债权债务进行清算，并在清算前十五日内书面通知债权人，无法通知的，应向社会予以公告。债权人应当在接到通知之日起三十日内，未接到通知的应当在公告之日起六十日内，向投资人申报其债权。

第二十四条　独资企业解散后，原投资人对独资企业存续期间的债务仍应承担连带责任，但债权人在五年内未向债务人提出偿债要求的，该责任消灭。

第二十五条　独资企业财产应当按照下列顺序清偿：

（一）所欠职工工资和劳动保险费用；

（二）所欠税款；

（三）其他债务。

第二十六条　清算期间，独资企业不得开展与清算目的无关的经营活动。在未按前条规定清偿债务前，投资人不得转移、隐匿财产。

第二十七条　独资企业财产不足以清偿债务的，投资人应当以其个人的其他财产予以清偿。

第二十八条　独资企业清算结束后，投资人应当编制清算报告，并于十五日内到登记机关办理注销登记。

第五章 法 律 责 任

第二十九条 违反本法规定，虚报出资、提交虚假文件或采取其他欺骗手段，取得企业登记的，责令改正，处以罚款；情节严重的，并处撤销企业登记；构成犯罪的，依法追究刑事责任。

第三十条 违反本法第四条规定，在独资企业名称中使用“有限”或“有限责任”字样的，责令限期改正，并处以罚款。

未经登记注册擅自开业的，没收非法所得，责令停业，并处罚款。

第三十一条 涂改、出租、转让营业执照的，没收非法所得，处以罚款；情节严重的吊销营业执照。

伪造营业执照的，责令停业，没收非法所得，处以罚款。

第三十二条 企业成立后无正当理由超过六个月未开业的，或者开业后自行停业连续六个月以上的，吊销营业执照。

第三十三条 违反本法第二十八条规定，未办理注销登记的，吊销营业执照。

独资企业登记事项发生变更时，未按本法规定办理有关变更登记的，责令限期登记；逾期不登记的，处以罚款。

第三十四条 投资人委托的经理（厂长）、其他从业人员执行企业业务时违反本法规定，给投资人造成损害的，承担民事赔偿责任。

第三十五条 投资人委托的经理（厂长）、其他从业人员利用职务或者工作上的便利，索取或收受贿赂的，违法所得收归企业所有；侵占本企业财产的，责令退还并赔偿损失，违法所得归企业所有；擅自挪用企业的资金归个人使用或将企业资金借贷给他人的，责令退还企业资金并赔偿损失，违法所得归企业所有。上述违法行为构成犯罪的，依法追究刑事责任。

第三十六条　投资人委托的经理(厂长)、其他从业人员擅自将企业资金以个人名义或者以其他人名义开立帐户储存的,责令退还企业资金并赔偿损失,违法所得归企业所有,并处以罚款;构成犯罪的,依法追究刑事责任。

第三十七条　未经投资人同意,独资企业经理(厂长)从事与其任职企业相竞争的业务或与本企业发生交易的,违法所得归企业所有。

第三十八条　独资企业及其投资人在清算前或清算期间隐匿或转移财产,逃避债务的,依法追回其财产,责成承担债务,并视情节依据有关规定予以处罚;构成犯罪的,依法追究刑事责任。

第三十九条　违反本法规定,应当承担民事赔偿责任和被处以没收违法所得、没收财产、缴纳罚款、判处罚金的,投资人财产不足支付时,先承担民事赔偿责任。

第四十条　登记机关对不符合本法规定条件的企业予以登记,或者对符合本法规定条件的企业不予登记或登记为其他类型企业的,对直接责任人员依法给予行政处分;构成犯罪的,依法追究刑事责任。

第四十一条　登记机关的上级部门强令登记机关对不符合本法规定条件的企业予以登记,或者对符合本法规定条件的企业不予登记或登记为其他类型的企业,或者对登记机关的违法登记行为进行包庇的,对直接责任人员依法给予行政处分;构成犯罪的,依法追究刑事责任。

第四十二条　依照本法履行审批职责的有关部门,对符合法定条件的申请不予批准或者超过法定时限不予答复的,当事人可依法申请行政复议或提起行政诉讼。

第六章　附　　则

第四十三条　本法施行前颁布的法律、行政法规与本法不一致的，适用本法。

第四十四条　本法施行前设立的独资企业，不符合本法规定的，应当依照本法进行规范，并在本法施行之日起一年内到登记机关办理变更登记。

第四十五条　本法自　　年　　月　　日起施行。

全国人大法律委员会关于《中华人民共和国独资企业法(草案)》修改情况的汇报

全国人民代表大会常务委员会:

九届全国人大常委会第九次会议对独资企业法(草案)进行了初步审议。会后,法律委员会、法制工作委员会将草案印发各地方、中央有关部门、有关单位、一些高等院校和研究机构征求意见,法律委员会、财经委员会和法制工作委员会联合召开中央有关部门和法律专家座谈会,听取意见,并组织了调查研究。根据常委委员的审议意见以及各地方、各部门和专家的意见,法律委员会、财经委员会、法制工作委员会和国务院法制办的负责同志就草案中的有关问题进行了研究。6 月 9 日、17 日法律委员会对独资企业法(草案)进行了逐条审议。财经委员会的负责同志列席了 6 月 9 日的会议。法律委员会认为,根据发展社会主义市场经济的要求,按照投资方式与责任形式规范市场主体,确立独资企业的行为规则,制定独资企业法是必要的。同时提出以下主要修改意见:

一、关于本法的名称

许多常委委员和地方、部门、专家提出,根据草案第二条的规定,本法所调整的是由一个自然人投资并以其个人财产对债务承担无限责任的个人独资企业,并不包括国有独资、集体独资和外商独资企业,现在的法律名称与实际的调整范围不一致,将本法的名称改为"个人独资企业法"或者"个体独资企业法"比较合适。因此，法律委员会建议将本法名称改为“个人独资企业法”。

二、关于个人独资企业职工权益的保护

许多常委委员、地方和部门提出，目前在独资企业中侵犯职工合法权益的问题比较严重，独资企业法中应当增加对职工合法权益保护的内容。因此，法律委员会建议作如下修改：

（一）将草案第七条改为一款，修改为：“个人独资企业应当依法招用职工。职工的合法权益受法律保护”；并增加一款规定“个人独资企业职工依法建立工会，工会依法开展活动。”（草案二次审议稿第六条）

（二）增加规定：“个人独资企业招用职工的，应当依法与职工签订劳动合同，保障职工的劳动安全，准时、足额发放职工工资。”（草案二次审议稿第二十一条）“个人独资企业应当按照国家规定参加社会保险，为职工缴纳社会保险费。”（草案二次审议稿第二十二条）

三、关于个人独资企业纳税

许多常委委员和地方、部门提出，有关个人独资企业及其投资人纳税的实体规定应当统一在税法中作出，但在本法中则应就独资企业依法履行纳税义务作出明确规定。因此，法律委员会建议将草案第五条第二款修改为：“个人独资企业应当依法履行纳税的义务。”（草案二次审议稿第四条第二款）

四、关于个人独资企业的无限责任

一些常委委员和地方、部门、专家提出，目前在我国实际生活中，有相当一部分独资企业是以家庭财产出资的，而且企业收入也用于家庭支出，这些独资企业投资人的个人财产与其家庭财产很难划分清楚。为了保护债权人的利益，应当规定个人以家庭财产出资的独资企业，以家庭财产承担无限责任。因此，法律委员会建议增加规定："个人独资企业投资人在申请企业设立登记时明确以其家庭共有财产作为个人出资的，应当依法以家庭共有财产对企业债务承担无限责任。"（草案二次审议稿第十七条）

五、关于个人独资企业的事务管理

一些常委委员、地方、部门和专家提出，独资企业是投资人个人出资设立的，投资人有权自行决定企业内部事务管理的方式。在实际中独资企业事务管理的方式也是多种多样的，有的投资人自己管理，有的委托或者聘用其他人管理，也有的是家庭成员共同管理。对此，法律中难以一一作出具体规定。因此，法律委员会建议将草案第十七条第一款、第二款修改为："个人独资企业投资人可以自行管理企业事务，也可以委托或者聘用其他具有民事行为能力的人负责企业的事务管理"；"投资人委托或者聘用他人管理个人独资企业事务，应当与受托人或者被聘用的人签订书面合同，明确委托的具体内容和授予的权利范围。"（草案二次审议稿第十八条第一款、第二款）

六、关于个人独资企业分立时的财产分割

一些常委委员和地方、部门、专家提出，独资企业投资人对企业债务承担的是无限责任，如果独资企业进行分立，就要对投资人的财产进行分割，容易造成承担责任的财产的价值减少，从而规避投资人以全部个人财产承担责任的规定。因此，法律委员会建议删去草案第十四条。

七、关于个人独资企业的设立

有些常委委员和地方、部门、专家提出，个人独资企业作为一种市场主体从事经济活动，需要具备一定的资格条件，主要是有企业的名称、投资人的出资、固定的经营场所、必要的生产经营条件等，不反映这些资格条件的事项可以不作为设立条件作出规定。因此，法律委员会建议将草案第八条规定中的有设立申请书和建立财务会计制度等内容，并入其他条文；同时在草案第八条中增加规定："投资人为一个自然人；"（草案二次审议稿第七条第一项）并根据个人独资企业所承担的是无限责任，将草案第四条修改为："个人独资企业在其名称中不得使用"有限"、"有限责任"和"公司"字样。"（草案二次审议稿第十条）

八、关于对个人独资企业商标等知识产权的保护

有的常委委员和地方提出，个人独资企业的商标等知识产权也是投资人的权利，应当防止受到侵犯。因此，法律委员会建议在草案第十八条中增加规定投资人委托或者聘用的管理个人独资企业事务的人员不得"未经投资人同意，擅自将企业商标或者其他知识产权转让给他人使用"。（草案二次审议稿第十九条第八项）

九、关于个人独资企业清算

一些常委委员、部门、专家提出，个人独资企业解散，有的可以自行清算，有的则难以自行清算，需要法院介入，应当考虑这两种情况。因此，法律委员会建议将草案第二十三条中"投资人自行对债权债务进行清算"的规定修改为"投资人自行清算或者由债权人申请人民法院指定清算人进行清算"。（草案二次审议稿第二十六条第一款）

十、关于法律责任

许多常委委员和一些地方、部门、专家提出，草案第五章关于法律责任的规定中对于罚款的具体数额和幅度都没有作规定，为了便于实际操作，应当明确规定罚款的数额或幅度。因此，法律委

员会建议在草案第二十九条、第三十条第一款、第三十一条、第三十三条中增加规定罚款的具体数额。(草案二次审议稿第三十二条、第三十三条、第三十四条、第三十六条)

十一、关于外商独资企业不适用本法

许多常委委员和一些地方、部门提出,外国人在我国境内设立独资企业涉及的问题比较复杂,目前我国对于外商投资设立企业已有专门的法律规定,外商独资企业可不适用本法。但是草案第二条规定的调整范围并没有排除外商独资企业,对此有必要在法律中加以明确。因此,法律委员会建议增加规定:“外商独资企业不适用本法。”(草案二次审议稿第四十五条)

十二、关于本法施行后与相关法律、行政法规的衔接

有些常委委员和一些部门提出,本法与其他法律应当是相互衔接的,而本法施行后,行政法规与本法规定不一致的,当然应当适用本法。至于对本法施行前设立的独资企业如何进行规范,可以由国务院作具体规定。对此本法可以不作规定。因此,法律委员会建议删去草案第四十三条、第四十四条。

此外,还对草案作了一些文字修改。

草案二次审议稿已按照上述意见作了修改,法律委员会建议全国人大常委会再次审议。

草案二次审议稿和以上汇报是否妥当,请审议。

全国人大法律委员会

1999 年 6 月 18 日

中华人民共和国个人独资企业法(草案)

（二次审议稿）

目　　录

第一章　总　　则
第二章　个人独资企业的设立
第三章　个人独资企业的投资人及事务管理
第四章　个人独资企业的解散和清算
第五章　法律责任
第六章　附　　则

第一章　总　　则

第一条　为了规范个人独资企业的行为,保护个人独资企业投资人和债权人的合法权益,维护社会经济秩序,促进社会主义市场经济的发展,根据宪法,制定本法。

第二条　本法所称个人独资企业,是指依照本法在中国境内设立,由一个自然人投资,财产为投资人个人所有,投资人以其个人财产对企业债务承担无限责任的经营实体。

第三条　个人独资企业以其主要办事机构所在地为住所。

第四条　个人独资企业从事经营活动必须遵守法律、行政法规,不得损害社会公共利益。

个人独资企业应当依法履行纳税的义务。

第五条 个人独资企业的财产和其他合法权益受法律保护。

第六条 个人独资企业应当依法招用职工。职工的合法权益受法律保护。

个人独资企业职工依法建立工会,工会依法开展活动。

第二章 个人独资企业的设立

第七条 设立个人独资企业应当具备下列条件:

(一)投资人为一个自然人;

(二)有合法的企业名称;

(三)有投资人申报的出资;

(四)有固定的生产经营场所和必要的生产经营条件;

(五)有必要的从业人员。

第八条 申请设立个人独资企业,应当由投资人或其代理人向个人独资企业住所所在地的登记机关提交设立申请书、投资人身份证明、生产经营场所使用证明等文件。委托代理人申请设立登记时,应当出具投资人的委托书和代理人的合法证明。

个人独资企业不得从事法律、行政法规禁止经营的业务;从事法律、行政法规规定须报经有关部门审批的业务,应当在申请设立登记时提交有关部门的批准文件。

第九条 个人独资企业设立申请书应当载明下列事项:

(一)企业的名称和住所;

(二)投资人的姓名和居所;

(三)投资人的出资额和出资方式;

(四)经营范围。

第十条 个人独资企业在其名称中不得使用"有限"、"有限责任"和"公司"字样。

第十一条 登记机关应当自收到设立申请文件之日起二十日内,对符合本法规定条件的,予以登记,发给营业执照;对不符合本法规定条件的,不予登记,并应当给予书面答复,说明理由。

第十二条 个人独资企业的营业执照的签发日期,为个人独资企业成立日期。

在领取个人独资企业营业执照前,投资人不得以个人独资企业的名义从事经营活动。

第十三条 个人独资企业设立分支机构,应当由投资人或者其委托的代理人向分支机构所在地的登记机关申请登记,领取营业执照。

分支机构核准登记后,应将登记情况报该分支机构隶属的个人独资企业的登记机关备案。

分支机构的民事责任由设立该分支机构的个人独资企业承担。

第十四条 个人独资企业存续期间登记事项发生变更的,应当在作出变更决定之日起的十五日内依法向登记机关申请办理变更登记。

第三章 个人独资企业的投资人及事务管理

第十五条 法律、行政法规禁止从事营利性活动的人,不得作为投资人申请设立个人独资企业。

第十六条 个人独资企业投资人对本企业的财产依法享有所有权,其有关权利可以依法进行转让或继承。

第十七条 个人独资企业投资人在申请企业设立登记时明确以其家庭共有财产作为个人出资的,应当依法以家庭共有财产对企业债务承担无限责任。

第十八条 个人独资企业投资人可以自行管理企业事务,也可以委托或者聘用其他具有民事行为能力的人负责企业的事务管理。

投资人委托或者聘用他人管理个人独资企业事务，应当与受托人或者被聘用的人签订书面合同，明确委托的具体内容和授予的权利范围。

受托人或者被聘用的人员应当履行诚信、勤勉义务，按照与投资人签订的合同负责个人独资企业的事务管理。

投资人对受托人或者被聘用的人员职权的限制，不得对抗善意第三人。

第十九条　投资人委托或者聘用的管理个人独资企业事务的人员不得从事下列行为：

（一）利用职务上的便利，索取或收受贿赂；

（二）利用职务或工作上的便利侵占企业财产；

（三）擅自挪用企业的资金归个人使用或将企业资金借贷给他人；

（四）擅自将企业资金以个人名义或者以他人名义开立帐户储存；

（五）擅自以企业财产提供担保；

（六）未经投资人同意，从事与本企业相竞争的业务；

（七）未经投资人同意，同本企业订立合同或进行交易；

（八）未经投资人同意，擅自将企业商标或者其他知识产权转让给他人使用；

（九）泄露本企业的商业秘密；

（十）法律、行政法规禁止的其他行为。

第二十条　个人独资企业应当依法建立会计帐簿，编制财务报表。

第二十一条　个人独资企业招用职工的，应当依法与职工签订劳动合同，保障职工的劳动安全，准时、足额发放职工工资。

第二十二条 个人独资企业应当按照国家规定参加社会保险,为职工缴纳社会保险费。

第二十三条 个人独资企业可以依法申请贷款、取得土地使用权,并享有法律、行政法规规定的其他权利。

第二十四条 任何单位和个人不得违反法律、行政法规的规定,以任何方式强制个人独资企业提供财力、物力、人力;对于违法强制提供财力、物力、人力的行为,个人独资企业有权拒绝。

第四章 个人独资企业的解散和清算

第二十五条 个人独资企业有下列情形之一时,应当解散:

(一)投资人决定解散;

(二)投资人死亡或者被宣告死亡,无继承人或者继承人决定放弃继承;

(三)被依法吊销营业执照;

(四)法律、行政法规规定的其他情形。

第二十六条 个人独资企业解散,由投资人自行清算或者由债权人申请人民法院指定清算人进行清算。

投资人自行清算的,应当在清算前十五日内书面通知债权人,无法通知的,应当予以公告。债权人应当在接到通知之日起三十日内,未接到通知的应当在公告之日起六十日内,向投资人申报其债权。

第二十七条 个人独资企业解散后,原投资人对个人独资企业存续期间的债务仍应承担偿还责任,但债权人在五年内未向债务人提出偿债要求的,该责任消灭。

第二十八条 个人独资企业财产应当按照下列顺序清偿:

(一)所欠职工工资和社会保险费用;

(二)所欠税款;

（三）其他债务。

第二十九条 清算期间，个人独资企业不得开展与清算目的无关的经营活动。在按前条规定清偿债务前，投资人不得转移、隐匿财产。

第三十条 个人独资企业财产不足以清偿债务的，投资人应当以其个人的其他财产予以清偿。

第三十一条 个人独资企业清算结束后，投资人应当编制清算报告，并于十五日内到登记机关办理注销登记。

第五章 法律责任

第三十二条 违反本法规定，提交虚假文件或采取其他欺骗手段，取得企业登记的，责令改正，处以五千元以下的罚款；情节严重的，并处吊销营业执照。

第三十三条 违反本法第十条规定，在个人独资企业名称中使用“有限”或“有限责任”或“公司”字样的，责令限期改正，处以二千元以下的罚款。

第三十四条 涂改、出租、转让营业执照的，责令改正，没收非法所得，处以三千元以下的罚款；情节严重的，吊销营业执照。

伪造营业执照的，责令停业，没收非法所得，处以五千元以下的罚款。构成犯罪的，依法追究刑事责任。

第三十五条 个人独资企业成立后无正当理由超过六个月未开业的，或者开业后自行停业连续六个月以上的，吊销营业执照。

第三十六条 违反本法规定，未领取营业执照，以个人独资企业名义从事经营活动的，责令停止经营活动，处以三千元以下的罚款。

个人独资企业登记事项发生变更时，未按本法规定办理有关变更登记的，责令限期登记；逾期不登记的，处以二千元以下的罚款。

第三十七条 投资人委托或者聘用的人员管理个人独资企业事务时违反双方订立的合同，给投资人造成损害的，承担民事赔偿责任。

第三十八条 个人独资企业违反本法规定，侵犯职工合法权益，未保障职工劳动安全，不缴纳社会保险费用的，按照有关法律、行政法规予以处罚，并追究有关责任人员的责任。

第三十九条 投资人委托或者聘用的人员在管理个人独资企业事务时，利用职务或者工作上的便利，索取或收受贿赂的，应当没收违法所得；侵占本企业财产的，责令退还并赔偿损失，违法所得归企业所有；擅自挪用企业的资金归个人使用或将企业资金借贷给他人的，责令退还企业资金并赔偿损失，违法所得归企业所有。违反本法第十九条规定侵占企业其他合法权益的，责令改正，造成损失的，依法承担赔偿责任。上述违法行为构成犯罪的，依法追究刑事责任。

第四十条 个人独资企业及其投资人在清算前或清算期间隐匿或转移财产，逃避债务的，依法追回其财产，并视情节依据有关规定予以处罚；构成犯罪的，依法追究刑事责任。

第四十一条 违反本法规定，应当承担民事赔偿责任和被处以没收违法所得、没收财产、罚款和判处罚金的，投资人财产不足以同时支付时，先承担民事赔偿责任。

第四十二条 登记机关对不符合本法规定条件的个人独资企业予以登记，或者对符合本法规定条件的企业不予登记的，对直接责任人员依法给予行政处分；构成犯罪的，依法追究刑事责任。

第四十三条 登记机关的上级部门的有关主管人员强令登记机关对不符合本法规定条件的企业予以登记，或者对符合本法规定条件的企业不予登记的，或者对登记机关的违法登记行为进行包庇的，对直接责任人员依法给予行政处分；构成犯罪的，依法追究刑事责任。

第四十四条 依法履行登记职责的机关,对符合法定条件的申请不予登记或者超过法定时限不予答复的,当事人可依法申请行政复议或提起行政诉讼。

第六章 附 则

第四十五条 外商独资企业不适用本法。

第四十六条 本法自 年 月 日起施行。

全国人大法律委员会关于《中华人民共和国个人独资企业法（草案）》审议结果的报告

全国人民代表大会常务委员会：

九届全国人大常委会第十次会议对个人独资企业法（草案二次审议稿）进行了审议。多数常委委员认为，草案二次审议稿反映了常委会初次审议的意见，完善了有关规定，基本上是符合实际情况的，在进一步修改后应尽快出台。同时也提出了一些修改意见。法律委员会、法制工作委员会针对审议中提出的主要问题进行了调查研究，征求了国务院有关部门的意见，并根据常委会二次审议的意见和各地方、各部门的意见对草案再次进行了修改。法律委员会于8月12日、18日召开会议，对草案进行了再次审议。财经委员会的负责同志列席了8月12日的会议。法律委员会认为，个人独资企业法（草案）经过了两次审议和修改，主要规范是可行的，能基本适应当前规范个人独资企业的需要。同时，提出以下修改意见：

一、有的常委委员提出，个人独资企业在生产经营中存在着制售假冒伪劣产品，坑害消费者的问题，有的还相当严重，应当限制这种行为，提倡诚实经营，讲求信用。因此，法律委员会建议将草案修改稿第四条第一款修改为："个人独资企业从事经营活动必须遵守法律、行政法规，遵守诚实信用原则，不得损害社会公共利益。"（草案三次审议稿第四条第一款）

二、有些常委委员和有的部门提出，个人独资企业是一个自然人投资，投资人负的是无限责任，企业不具有法人资格，一般规模都比较小，应当要求它的名称与其自身的责任形式和所从事的营业相符合，以避免个人独资企业与其他企业形式相混淆，也防止与实际营业状况不符，以保护交易相对人的利益。对此应当作出原则性的规定。因此，法律委员会建议将草案修改稿第十条修改为："个人独资企业的名称应当与其责任形式、从事的营业及规模相符合"（草案三次审议稿第十条）。同时，将草案修改稿第三十三条修改为："违反本法规定，个人独资企业使用的名称与其在登记机关登记的名称不相符合的，责令限期改正，处以二千元以下的罚款。"（草案三次审议稿第三十三条）

三、有些常委委员和部门提出，在有关会计的专门法律中对企业设置帐簿、进行会计核算等事项已经作了具体规定，本法有关个人独资企业会计管理的规定应当与之相衔接。因此，法律委员会建议将草案修改稿第二十条修改为："个人独资企业应当依法设置会计帐簿，进行会计核算。"（草案三次审议稿第二十条）

四、有的常委委员和部门提出，草案修改稿第三十九条的法律责任是对应第十九条作出的规定，归并为三类进行处罚不太准确，文字上重复也多，应当针对第十九条所禁止的十种行为规定几种应承担的责任和给予的处罚。因此，法律委员会建议将草案修改稿第三十九条修改为："投资人委托或者聘用的人员违反本法第十九条规定，侵犯个人独资企业财产权益的，责令退还侵占的财产；给企业造成损失的，依法承担赔偿责任；有违法所得的，没收违法所得；构成犯罪的，依法追究刑事责任。"（草案三次审议稿第三十九条）

五、有些常委委员、地方、部门提出，个人独资企业的设立比较灵活，登记手续较为简便，登记时间可缩短一些，有十天到十五天就可以了。因此，法律委员会建议将草案修改稿第十一条修改为：

"登记机关应当在收到设立申请文件之日起十五日内,对符合本法规定条件的,予以登记,发给营业执照;对不符合本法规定条件的,不予登记,并应当给予书面答复,说明理由。"(草案三次审议稿第十一条)

此外,还对草案二次审议稿作了一些文字修改。

草案三次审议稿已按照上述意见作了修改,法律委员会建议全国人大常委会审议通过。

草案三次审议稿和以上意见是否妥当,请审议。

全国人大法律委员会

1999 年 8 月 18 日

中华人民共和国个人独资企业法(草案)

（三次审议稿）

目 录

第一章 总 则
第二章 个人独资企业的设立
第三章 个人独资企业的投资人及事务管理
第四章 个人独资企业的解散和清算
第五章 法律责任
第六章 附 则

第一章 总 则

第一条 为了规范个人独资企业的行为,保护个人独资企业投资人和债权人的合法权益,维护社会经济秩序,促进社会主义市场经济的发展,根据宪法,制定本法。

第二条 本法所称个人独资企业,是指依照本法在中国境内设立,由一个自然人投资,财产为投资人个人所有,投资人以其个人财产对企业债务承担无限责任的经营实体。

第三条 个人独资企业以其主要办事机构所在地为住所。

第四条 个人独资企业从事经营活动必须遵守法律、行政法规，遵守诚实信用原则，不得损害社会公共利益。

个人独资企业应当依法履行纳税的义务。

第五条 个人独资企业的财产和其他合法权益受法律保护。

第六条 个人独资企业应当依法招用职工。职工的合法权益受法律保护。

个人独资企业职工依法建立工会，工会依法开展活动。

第二章 个人独资企业的设立

第七条 设立个人独资企业应当具备下列条件：

（一）投资人为一个自然人；

（二）有合法的企业名称；

（三）有投资人申报的出资；

（四）有固定的生产经营场所和必要的生产经营条件；

（五）有必要的从业人员。

第八条 申请设立个人独资企业，应当由投资人或者其委托的代理人向个人独资企业所在地的登记机关提交设立申请书、投资人身份证明、生产经营场所使用证明等文件。委托代理人申请设立登记时，应当出具投资人的委托书和代理人的合法证明。

个人独资企业不得从事法律、行政法规禁止经营的业务；从事法律、行政法规规定须报经有关部门审批的业务，应当在申请设立登记时提交有关部门的批准文件。

第九条 个人独资企业设立申请书应当载明下列事项：

（一）企业的名称和住所；

（二）投资人的姓名和居所；

（三）投资人的出资额和出资方式；

（四）经营范围。

第十条 个人独资企业的名称应当与其责任形式、从事的营业及规模相符合。

第十一条　登记机关应当在收到设立申请文件之日起十五日内,对符合本法规定条件的,予以登记,发给营业执照;对不符合本法规定条件的,不予登记,并应当给予书面答复,说明理由。

第十二条　个人独资企业的营业执照的签发日期,为个人独资企业成立日期。

在领取个人独资企业营业执照前,投资人不得以个人独资企业的名义从事经营活动。

第十三条　个人独资企业设立分支机构,应当由投资人或者其委托的代理人向分支机构所在地的登记机关申请登记,领取营业执照。

分支机构核准登记后,应将登记情况报该分支机构隶属的个人独资企业的登记机关备案。

分支机构的民事责任由设立该分支机构的个人独资企业承担。

第十四条　个人独资企业存续期间登记事项发生变更的,应当在作出变更决定之日起的十五日内依法向登记机关申请办理变更登记。

第三章　个人独资企业的投资人及事务管理

第十五条　法律、行政法规禁止从事营利性活动的人,不得作为投资人申请设立个人独资企业。

第十六条　个人独资企业投资人对本企业的财产依法享有所有权,其有关权利可以依法进行转让或继承。

第十七条　个人独资企业投资人在申请企业设立登记时明确以其家庭共有财产作为个人出资的,应当依法以家庭共有财产对企业债务承担无限责任。

第十八条 个人独资企业投资人可以自行管理企业事务，也可以委托或者聘用其他具有民事行为能力的人负责企业的事务管理。

投资人委托或者聘用他人管理个人独资企业事务，应当与受托人或者被聘用的人签订书面合同，明确委托的具体内容和授予的权利范围。

受托人或者被聘用的人员应当履行诚信、勤勉义务，按照与投资人签订的合同负责个人独资企业的事务管理。

投资人对受托人或者被聘用的人员职权的限制，不得对抗善意第三人。

第十九条 投资人委托或者聘用的管理个人独资企业事务的人员不得从事下列行为：

（一）利用职务上的便利，索取或者收受贿赂；

（二）利用职务或者工作上的便利侵占企业财产；

（三）挪用企业的资金归个人使用或者借贷给他人；

（四）擅自将企业资金以个人名义或者以他人名义开立帐户储存；

（五）擅自以企业财产提供担保；

（六）未经投资人同意，从事与本企业相竞争的业务；

（七）未经投资人同意，同本企业订立合同或者进行交易；

（八）未经投资人同意，擅自将企业商标或者其他知识产权转让给他人使用；

（九）泄露本企业的商业秘密；

（十）法律、行政法规禁止的其他行为。

第二十条 个人独资企业应当依法设置会计帐簿，进行会计核算。

第二十一条 个人独资企业招用职工的，应当依法与职工签订劳动合同，保障职工的劳动安全，准时、足额发放职工工资。

第二十二条　个人独资企业应当按照国家规定参加社会保险,为职工缴纳社会保险费。

第二十三条　个人独资企业可以依法申请贷款、取得土地使用权,并享有法律、行政法规规定的其他权利。

第二十四条　任何单位和个人不得违反法律、行政法规的规定,以任何方式强制个人独资企业提供财力、物力、人力;对于违法强制提供财力、物力、人力的行为,个人独资企业有权拒绝。

第四章　个人独资企业的解散和清算

第二十五条　个人独资企业有下列情形之一时,应当解散:

(一)投资人决定解散;

(二)投资人死亡或者被宣告死亡,无继承人或者继承人决定放弃继承;

(三)被依法吊销营业执照;

(四)法律、行政法规规定的其他情形。

第二十六条　个人独资企业解散,由投资人自行清算或者由债权人申请人民法院指定清算人进行清算。

投资人自行清算的,应当在清算前十五日内书面通知债权人,无法通知的,应当予以公告。债权人应当在接到通知之日起三十日内,未接到通知的应当在公告之日起六十日内,向投资人申报其债权。

第二十七条　个人独资企业解散后,原投资人对个人独资企业存续期间的债务仍应承担偿还责任,但债权人在五年内未向债务人提出偿债请求的,该责任消灭。

第二十八条　个人独资企业财产应当按照下列顺序清偿:

(一)所欠职工工资和社会保险费用;

(二)所欠税款;

（三）其他债务。

第二十九条 清算期间，个人独资企业不得开展与清算目的无关的经营活动。在按前条规定清偿债务前，投资人不得转移、隐匿财产。

第三十条 个人独资企业财产不足以清偿债务的，投资人应当以其个人的其他财产予以清偿。

第三十一条 个人独资企业清算结束后，投资人应当编制清算报告，并于十五日内到登记机关办理注销登记。

第五章 法律责任

第三十二条 违反本法规定，提交虚假文件或采取其他欺骗手段，取得企业登记的，责令改正，处以五千元以下的罚款；情节严重的，并处吊销营业执照。

第三十三条 违反本法规定，个人独资企业使用的名称与其在登记机关登记的名称不相符合的，责令限期改正，处以二千元以下的罚款。

第三十四条 涂改、出租、转让营业执照的，责令改正，没收违法所得，处以三千元以下的罚款；情节严重的，吊销营业执照。

伪造营业执照的，责令停业，没收违法所得，处以五千元以下的罚款。构成犯罪的，依法追究刑事责任。

第三十五条 个人独资企业成立后无正当理由超过六个月未开业的，或者开业后自行停业连续六个月以上的，吊销营业执照。

第三十六条 违反本法规定，未领取营业执照，以个人独资企业名义从事经营活动的，责令停止经营活动，处以三千元以下的罚款。

个人独资企业登记事项发生变更时，未按本法规定办理有关变更登记的，责令限期登记；逾期不登记的，处以二千元以下的罚款。

第三十七条　投资人委托或者聘用的人员管理个人独资企业事务时违反双方订立的合同，给投资人造成损害的，承担民事赔偿责任。

第三十八条　个人独资企业违反本法规定，侵犯职工合法权益，未保障职工劳动安全，不缴纳社会保险费用的，按照有关法律、行政法规予以处罚，并追究有关责任人员的责任。

第三十九条　投资人委托或者聘用的人员违反本法第十九条规定，侵犯个人独资企业财产权益的，责令退还侵占的财产；给企业造成损失的，依法承担赔偿责任；有违法所得的，没收违法所得；构成犯罪的，依法追究刑事责任。

第四十条　个人独资企业及其投资人在清算前或清算期间隐匿或转移财产，逃避债务的，依法追回其财产，并视情节依据有关规定予以处罚；构成犯罪的，依法追究刑事责任。

第四十一条　投资人违反本法规定，应当承担民事赔偿责任和被处以没收违法所得、没收财产、罚款和判处罚金的，其财产不足以同时支付时，先承担民事赔偿责任。

第四十二条　登记机关对不符合本法规定条件的个人独资企业予以登记，或者对符合本法规定条件的企业不予登记的，对直接责任人员依法给予行政处分；构成犯罪的，依法追究刑事责任。

第四十三条　登记机关的上级部门的有关主管人员强令登记机关对不符合本法规定条件的企业予以登记，或者对符合本法规定条件的企业不予登记的，或者对登记机关的违法登记行为进行包庇的，对直接责任人员依法给予行政处分；构成犯罪的，依法追究刑事责任。

第四十四条　依法履行登记职责的机关，对符合法定条件的申请不予登记或者超过法定时限不予答复的，当事人可依法申请行政复议或提起行政诉讼。

第六章　附　　则

第四十五条　外商独资企业不适用本法。

第四十六条　本法自 2000 年 1 月 1 日起施行。

关于个人独资企业法(草案三次审议稿)和招标投标法(草案三次审议稿)修改意见的报告(节录)

(1999年8月30日)

全国人大法律委员会主任委员 王维澄

本次常委会会议于1999年8月24日下午对个人独资企业法(草案三次审议稿)和招标投标法(草案三次审议稿)分组进行了审议。大家认为,两个草案吸收了常委会组成人员和地方、部门、专家的意见,经过反复修改,已经比较成熟,建议本次常委会会议通过。同时,也提出了一些修改意见。法律委员会于8月26日上午、26日下午召开会议,财经委员会的负责同志列席了会议,逐条研究了委员们的意见,提出了进一步修改意见。

一、关于个人独资企业法(草案三次审议稿)

(一)有的常委委员提出,对个人独资企业应当由国家来保护其合法权益,并采取具体措施鼓励、扶持其发展。经研究,法律委员会认为,对个人独资企业的财产和其他合法权益,应当在法律中规定由国家予以保护。因此,建议将草案三次审议稿第五条修改为:"国家依法保护个人独资企业的财产和其他合法权益"(建议表决稿第五条)。这部法律主要是明确个人独资企业的企业形式和法律地位,并确定它依法享有的基本权利,为其健康发展提供法律保障,关于对其采取具体鼓励、扶持措施的问题,考虑到个人独资企业数量很大,情况比较复杂,需要区别对待,宜在其他有关法律、行政法规和经济政策中作出规定,在本法中不作具体规定。

(二)有的常委委员提出,企业的规模是随经营情况不断变化的,要求个人独资企业的名称与其规模相符合不好操作。因此,法律委员会建议将草案三次审议稿第十一条修改为:“个人独资企业的名称应当与其责任形式及从事的营业相符合。”(建议表决稿第十一条)

(三)有些常委委员提出,按照劳动法的有关规定,企业应当按时发放职工工资,草案有关个人独资企业发放职工工资的规定应当与劳动法的规定相衔接。因此,法律委员会建议将草案三次审议稿第二十二条规定的“准时、足额发放职工工资”修改为“按时、足额发放职工工资”。(建议表决稿第二十二条)

(四)有的常委委员提出,个人独资企业解散,有的是由投资人自行清算,有的是由法院指定清算人清算,在作出编制清算报告的规定时也应当考虑这两种情况。因此,法律委员会建议将草案三次审议稿第三十二条修改为“个人独资企业清算结束后,投资人或者人民法院指定的清算人应当编制清算报告,并于十五日内到登记机关办理注销登记。”(建议表决稿第三十二条)

(五)有些常委委员提出,目前一些部门、单位及其工作人员强制个人独资企业提供财力、物力、人力,有的甚至很严重,除了在草案第二十五条作出规定加以限制外,还应当在法律责任中对这种违法行为作出追究责任的规定。因此,法律委员会建议增加一条规定:“违反法律、行政法规的规定强制个人独资企业提供财力、物力、人力的,按照有关法律、行政法规予以处罚,并追究有关责任人员的责任。”(建议表决稿第四十一条)

在审议过程中,有些常委委员提出,草案应当对个人独资企业的纳税问题作出实体规定,明确只征一道所得税,并避免重复征税。经研究,法律委员会认为,对个人独资企业如何征税的问题情况比较复杂,还涉及到现行税收制度的调整和完善,需要在制定税法时通盘考虑。因此,在草案中先予明确规定个人独资企业应当依法履行纳税义务,而对个人独资企业纳税的具体内容未加以规定。

二、关于招标投标法(草案三次审议稿)(略)

附录二：

九届全国人大常委会第九次会议分组审议独资企业法（草案）的意见

九届全国人大常委会第九次会议于1999年4月28日上午分组对独资企业法（草案）进行了初步审议。现将委员们的主要审议意见简报如下：

一、总的看法

许多委员提出，党的十五大和九届人大二次会议通过的宪法修正案都肯定了非公有制经济在我国的地位和作用，明确规定非公有制经济是社会主义市场经济的重要组成部分。在非公有制经济中，有相当一部分是采取独资企业的形式，因此制定独资企业法以规范和保护独资企业，非常必要、及时，对保障和促进非公有制经济的发展具有重要意义。草案的基本框架、基本内容是好的。

有些委员提出，草案还不够成熟，独资企业与个体工商户之间的关系还没有完全搞清楚，独资企业的税收制度如何修改还不太明确，建议在独资企业税收问题解决后再出台本法。

二、关于法律名称和调整范围

草案第二条规定："本法所称独资企业，是指依照本法在中国境内设立，由一个自然人投资，财产为投资人所有，投资人以其个人财产对企业债务承担无限责任的营利性组织。”一些委员提出，草案的法律名称与实际的调整范围不相符，草案调整的只是个体独资企业，没有将国有独资、集体独资和外资独资企业包括进去，建议将法的名称加以修改。有些委员建议将法的名称改为“私营（或私人）独资企业法”，或“公民独资企业法”，或“个体独资企业法”或，“民营独资企业法”。有的意见建议本法名称不要修改，因为本法名称是按照不同企业组织形式确定的。

有些委员提出，草案第二条的规定无法排除外商独资企业，建议在法中明确规定外商独资企业不适用本法。有的委员提出，我国即将加入世界贸易组织，国民待遇原则是一个普遍适用的原则，为了体现这一原则，外国个人在我国投资设立的独资企业，应当适用本法。

三、关于对独资企业的保护、鼓励和管理

有的委员提出，草案中有关鼓励、扶持独资企业发展的规定力度不够，应当增加这方面内容。有的委员建议在总则中增加“鼓励、支持独资企业发展”的规定。有的委员建议在法律中明确规定给独资企业进出口权。

有些委员提出，当前一些私营企业以不同的方式侵害国有经济，使国有资产流失的现象不少，在保护独资企业发展的同时，也要加强对它们的管理，明确制止偷税漏税等不正当行为，防止侵害国家利益，草案这方面的规定力度不够。有的委员提出，独资企业生产、销售假冒伪劣产品的问题很严重，建议草案增加对产品质量进行管理方面的内容。

有的委员提出，独资企业在生产经营中遇到的最大问题就是行政管理部门的乱摊派和行政管理机关工作人员的“吃、拿、卡、要”，建议在草案第二十一条规定任何单位和个人不得违法向独资企业乱摊派的基础上，规定相关人员的法律责任，特别是对干涉独资企业经营活动，影响企业正常运转的，要承担赔偿责任，以切实保护独资企业的合法权益。

四、关于保护独资企业职工合法权益

有的委员提出，当前私营企业劳资关系矛盾突出，侵犯职工合法权益和人身权利的事件时有发生，主要表现在劳动时间长、强度大，劳动安全条件差，缺乏必要的劳动保护，劳动合同流于形式，虐待、侮辱职工等现象比较严重。草案对独资企业职工合法权益保护的规定不够具体，显得薄弱，应当将这方面的内容进一步强化、具体化。有的委员建议在第一条立法目的中增加有关“保护劳动者合法权益”的规定。有些委员建议明确规定独资企业职工依法建立工会组织，开展工会活动，工会可以代表职工与企业签订集体合同。有些委员建议明确规定，企业应当依法与职工签订劳动合同，应当有基本的安全生产措施，应当准时、足额发给职工工资，并按照有关规定为职工建立社会保险。

五、关于独资企业的税负

许多委员提出，依据我国现行税法的规定，独资企业要根据其应税所得额的多少，分别缴纳33%、27%或18%的企业所得税，同时独资企业的投资人从企业分得的利润，还要缴纳20%的个人所得税，形成双重征税，而个体工商户只按5%至35%的超额累进税率缴纳个人所得税，由于注册为独资企业将增加税负，许多个体工商户就不愿意注册为独资企业。独资企业的税负，既要与其他形式的企业税负相平衡，又要与个体工商户的税负相协调，否则不利于独资企业的发展，建议独资企业法的制定与我国的税制改革结合起来。建议明确独资企业只交企业所得税，免交个人所得税。建议明确对独资企业只征收投资者个人所得税。

六、关于独资企业解散、清算

有的意见提出，草案第二十二条关于独资企业的解散，没有规定破产解散的情形。独资企业及其投资人也会出现资不抵债而破产的情况，建议增加这方面的规定。有的委员提出草案第二十二条的“解散”应当修改为“歇业”。

有的意见提出，草案第二十二条规定的解散事由包括投资人死亡而无继承人的情形，在这种情形下投资人无法自行清算，建议草案第二十三条将这一情形考虑进去。有的委员提出，草案第二十三条关于独资企业解散由投资人自行对债权债务进行清算的规定不妥，建议对独资企业的清算行为进行适当的限制，不能由其自己任意进行。

七、其他意见

（一）草案规定设立独资企业要有投资人申报的出资，但未规定最低投资额。有的委员建议对设立独资企业的最低资本额作出规定，如一万元、五万元。这样可以将个体工商户与独资企业相区别，避免将小本经营的个体工商户纳入独资企业的范围。有的委员建议对投资人申报的投资要进行审核、验资，以避免虚假出资，确保投入独资企业的资金是合法的。

（二）有的委员提出，独资企业是一个自然人投资，其以个人财产承担无限责任。建议对个人财产的范围作出明确界定，否则承担无限责任就是一句空话。

（三）草案第十一条规定的办理独资企业登记的时间为三十日。有的委员提出，草案规定的独资企业的设立条件比较简单，没有复杂的内容需要审查，建议将办理登记的时间缩短到一周、15日或20日。

（四）有的委员提出，草案第二十四条关于原投资人对独资企业存续期间的债务仍应“承担连带责任”的规定不恰当，因为个人和企业是一体的，不存在连带责任的问题，建议修改为“承担责任”。

（五）有的委员提出，草案第七条中“从业人员”概念不清，建议修改为“职工”。

九届全国人大常委会第十次会议分组审议个人独资企业法（草案二次审议稿）的意见

九届全国人大常委会第十次会议分组对个人独资企业法（二次审议稿）进行了审议。现将委员们在审议中提出的主要意见简报如下：

一、总的看法

委员们普遍认为，制定个人独资企业法既是完善我国市场主体立法的需要，也是社会主义市场经济发展到一定阶段的客观要求，很有必要，对于规范个人独资企业的行为，促进个人独资企业的发展，必将产生影响。许多委员提出，个人独资企业法二次审议稿吸收了委员们在一审中提出的许多意见和建议，对草案作了较大的修改有很多改进，更加符合实际，特别是在法律的名称和职工权益的保护等方面的修改很好，建议进一步修改完善后尽早出台。

有的委员提出，对个人独资企业是按现行作法征二道税（企业所得税和个人所得税）还是只收一道税，草案未作明确规定。如果草案规定的个人独资企业依法纳税的内涵仍然是双重征税的话，本法是否已经具备出台条件值得研究。建议不急于出台此法。

二、关于鼓励和规范个人独资企业的发展

许多委员提出，制定个人独资企业法的宗旨一是对个人独资企业的法律地位加以明确；二是对个人独资企业的行为进行规范；

三是对个人独资企业的发展给予支持。但是从草案的整体来看,规范性的规定偏多,鼓励扶持方面的规定不够,因此建议对草案作修改时,适当增加这方面的内容。建议在总则中写入鼓励和支持个人独资企业发展的内容;在保护个人独资企业合法权益方面作出更具体、明确的规定;明确规定鼓励和扶持个人独资企业发展的优惠政策;做到鼓励与规范并重。

有的同志提出,个人办独资企业,本法不应提鼓励和支持,不必规定优惠政策,以免产生依赖心理。

有的委员提出,制定个人独资企业法就是鼓励个人独资企业健康发展,但也包含对不正当行为的规范,只有规范,才有健康发展。规范和鼓励是一致的,规范也是一种鼓励。

有的委员提出,个人独资企业目前存在的突出问题有三个:一是生产假冒伪劣产品,严重危害人民生命财产安全;二是偷漏税款,不仅使国家税收减少,而且用不正当手段搞垮正当经营的企业;三是污染环境很严重,因此建议在本法中针对个人独资企业存在的上述问题增加有关加强管理的规定。

三、关于个人独资企业的税负

一些委员提出,个人独资企业究竟如何纳税,草案的规定不明确,只说依法纳税并未实际解决对个人独资企业可能双重征税的问题,建议明确对个人独资企业只收一道税。

有的委员提出,目前我国实行的是扩张性财政政策,既然是扩张性的财政政策,就不应加重企业的税负,否则财政政策的扩张效应将被抵消。所以对个人独资企业征收双重所得税是不合理的,要减税,可以只收企业所得税,免征个人所得税。至于投资人除独资企业利润以外还得到其他收入,则另征个人所得税。

有的委员提出,关于个人独资企业税收问题,本法不好作具体规定,但为了扶持、发展个人独资企业,建议在本法通过时,国务院能出台一个条例,具体解决个人独资企业的双重税负问题。

四、关于个人独资企业可不可以称公司

一些委员提出,个人独资企业名称中是否不得使用“公司”字样的规定还需研究,个人独资的企业可以称为“公司”,据说有的个人独资经营的企业已注册为公司。因此建议对个人独资企业名称中能否使用“公司”字样不要作限制性规定。

有的委员提出,公司意味着现代化管理,而家庭、个人的企业存在一个通病就是采用个人经营方式,没有健全的会计制度、用人制度、招聘制度,是家族管理。目前我国有一些个人独资企业规模很小,却打着大公司的牌子,如“中国”、“国际”、“环球”、“宇宙”等等,带有某种招摇撞骗的色彩。所以对个人独资企业名称由国家行政部门加以规范是十分必要的,是否可以叫公司,要进一步地研究。

有的委员提出,在我国,公司是采取有限责任形式的企业的名称,按照我国现行公司法规定,公司是指有限责任公司和股份有限公司,不包括无限责任公司。如允许个人独资企业也称公司,则需修改或补充现行公司法。

五、关于个人独资企业的无限责任

有的委员提出,二次审议稿第十七条规定,投资人在申请企业登记时明确以其家庭共有财产作为个人出资的,应当依法以家庭共有财产对企业财产承担无限责任。如果到了个人独资企业的财产不足以清偿企业债务时,企业投资人要以其家庭共有财产对企业债务承担无限责任。家庭成员若不同意,会引起法律纠纷。除非家庭所有成员在申请企业设立时,均在企业设立申请书上签字,这样所设企业就不好称其为个人独资企业,又与第二条规定个人独资企业由一个自然人投资设立相矛盾。因此建议对上述规定作

适当协调。

有的同志提出，根据二次审议稿第二条规定，个人独资企业由一个自然人投资设立，因此，投资人应当以其个人财产对企业债务承担无限责任，而不应在清偿企业债务时牵连家庭其他成员的财产。

有的委员提出，二次审议稿对个人独资企业设立时以个人财产申报出资或者以家庭财产申报作为个人出资的不同情况，规定应承担的财产责任，符合目前我国实际，是适宜的。

有的委员提出，二次审议稿第二条规定投资人以其个人财产对企业债务承担无限责任，但个人财产与家庭财产很难区分得开，可能导致无限责任落空。

有的同志提出，二次审议稿第十七条规定以家庭共有财产作为个人出资的，以家庭共有财产对企业债务承担无限责任。目前，许多夫妇在婚前都进行了财产公证，明确区分了夫妇各自的财产，建议本法对这种情况区别对待。

有的委员提出，个人独资企业的投资人对企业债务承担无限责任是个人独资企业的法律特征，为了充分体现无限责任和保护债权人利益，建议在本法中明确规定，个人独资企业的财产不足以清偿企业债务时，以清算时投资人的个人财产及其以后的收入对企业债务承担清偿责任。

六、其他意见

（一）有的委员建议在第一条“保护个人独资企业投资人和债权人的合法权益”一句中增加“职工”二字。

（二）有的委员建议在第二条“经营实体”之前增加“不具有法人资格的生产”几字。

（三）有的委员提出，本法应明确个人独资企业和个体工商户的区别，按照现在的规定两者的条件很相似，实际登记工作中难以操作。建议规定个人独资企业的最低注册资本额和从业人员人数;明确出资不少于1万元。

(四)有的委员提出,对外商在我国设立个人独资企业是否适用本法应再斟酌;建议将华侨、港、澳、台同胞设立的个人独资企业纳入本法调整范围。

(五)有的委员提出,二次审议稿第十一条规定办理个人独资企业设立登记发给营业执照时间20天太长,建议改为10天。

(六)有的委员提出,为保护投资人利益,二次审议稿第二十四条的规定很重要,但在法律责任一章中对违反这一条没有作出相应的处罚规定,建议增加有关法律责任的规定。

(七)有的委员提出,将本法名称改为个人独资企业法,弊多利少,建议删去“个人”二字,恢复原来的法律名称。

九届全国人大常委会第十一次会议分组审议个人独资企业法（草案三次审议稿）的意见

8月24日下午，本次常委会对个人独资企业法（草案三次审议稿）进行了分组审议。许多委员认为，草案经过常委会两次审议，修改得比较好，趋于成熟，建议本次会议作修改后审议通过。有的委员和同志提出，草案对个人独资企业的税收、鼓励扶持个人独资企业发展等问题未作出明确规定，建议本次常委会暂不通过。同时提出以下修改意见：

一、草案三次审议稿第七条规定，在个人独资企业中的中国共产党党员依照中国共产党章程进行活动。有些委员提出，党员应当按照党章的规定开展活动，这是不言而喻的，本法可以不作规定。有些委员提出，本条的规定容易引起顾虑和误解，建议不作规定，如作规定，建议表述得更准确一些。有些委员提出，个人独资企业要不要成立党组织，党组织的任务是什么，怎样开展活动，党员在个人独资企业中起什么作用等问题，都是新的课题，应当由组织部门深入调查研究，作出规定。

有的委员提出，在个人独资企业中，除了有中国共产党党员外，还有民主党派，是否还要对他们的活动作出规定？建议本法不要涉及这一问题。

有的委员提出，赞成这一条规定，并建议对本条进一步完善，将这一条修改为，在个人独资企业中的中国共产党基层组织和党员依照中国共产党章程进行活动。有的委员建议，将这一条修改为,在个人独资企业中的党员进行活动,由中央另行作出规定。有的同志建议,将这一条修改为,在个人独资企业中的中国共产党党员依照党章建立党的组织,开展活动。

二、草案三次审议稿第四条第二款规定,个人独资企业应当依法履行纳税的义务。有些委员提出,上述规定没有明确个人独资企业应纳什么税,建议本法出台时,相关税法也同时出台。有的委员提出,既然个人独资企业不是法人,就不应当缴纳两道税。有的委员建议明确规定,个人独资企业的投资人应当依法缴纳个人所得税。有的委员提出,个人独资企业的税收问题,本法解决不了,应由税法去解决。有些委员提出,税收问题不应回避。

三、有的委员提出,本法对鼓励扶持个人独资企业发展问题规定得不够,建议增加这方面的规定。有的委员建议,在第一条中增加有关“鼓励、支持、引导个人独资企业发展”的规定。

有的委员建议,在第二十四条中增加有关“个人独资企业依法享有进出口权”的规定。有些委员建议,对个人独资企业的合法权益保护问题专章作出规定。

四、有的委员建议,将草案三次审议稿第一条中的“保护个人独资企业投资人和债权人的合法权益”一句,修改为“保护个人独资企业投资人、债权人和职工的合法权益”。

五、有的委员建议,在草案三次审议稿第四条的“社会公共利益”后加“消费者利益”。

六、有的委员建议,将草案三次审议稿第六条第二款中的“个人独资企业职工依法建立工会”修改为“个人独资企业职工依法参加工会组织”,或者修改为“个人独资企业职工根据条件依法建立工会”。

七、有的委员提出,草案三次审议稿第十一条的规定吸收了委员们的意见,改得比较好。有的委员提出,这一条中关于个人独资企业的名称与其规模相符合的规定不好操作,建议将“规模”一词界定清楚,建议删去“规模”一词。

八、有些委员提出,一些政府机关和国有企业都做不到准时发放工资,对个人独资企业不要要求过严。因此,建议将草案三次审议稿第二十二条中的“准时”发放工资修改为“及时”发放工资。

九、有的委员建议增加规定,个人独资企业对违反本法第二十五条规定的行为,可以依法申请行政复议或者提起行政诉讼。有些委员建议,对违反本条规定的行为应当增加相应的法律责任。

十、有的同志建议,将草案三次审议稿第三十二条中的“投资人应当编制清算报告”修改为“投资人或者人民法院指定的清算人应当编制清算报告”。

十一、有的委员提出,法律责任中规定的罚款数额偏低,起不到惩戒作用,建议加重处罚。有的委员建议,对罚款数额不作具体规定,或者改为按违法所得的一定倍数处以罚款。

十二、有的同志建议,在草案三次审议稿第三十九条中增加未准时、足额发放职工工资行为的法律责任。

中央有关部门和专家对独资企业法(草案)的意见

5月13日,全国人大法律委员会、全国人大财经委员会和全国人大常委会法制工作委员会联合召开座谈会,征求中央有关部门和部分专家对独资企业法(草案)的意见。会议由法律委员会副主任委员张绪武主持,财经委员会副主任委员姚振炎、委员张寿、陆燕荪,法制工作委员会副主任卞耀武等出席了会议。

参加会议的人员在发言中认为,制定独资企业法以规范独资企业的行为,保护独资企业投资人及其债权人的合法权益,维护社会经济秩序,促进社会主义市场经济的发展,是必要的,建议进一步修改后尽快审议通过(国家经贸委政策法规司副司长陈丽洁、农业部乡镇企业局副局长宗锦耀)。同时,对草案提出了以下具体修改意见和建议:

一、关于本法的名称、调整范围和独资企业的定义

(一)有的部门提出,根据草案第二条的规定,本法只调整由一个自然人投资并以其个人财产对企业债务承担无限责任的企业,未将所有的独资企业包括进来,因此建议将本法名称改为"个人独资企业法"或者"个人企业法"(国务院发展研究中心企业研究所所长程秀生);或者改为"公民独资企业法"(全国总工会法律部副处长江南)。

有的专家提出,在国外,个人从事经营活动主要由民法和有关

商业登记方面的法律进行规范，业主只需依法进行登记，交纳登记费和个人所得税，因此，没有关于独资企业的专门立法。制定独资企业法是中国特色。为了将一个自然人投资的企业与其他类型的企业区分开来，建议将本法名称改为"个体企业法"（中国人民大学法学院教授史际春）。

有的专家提出，本法是按照企业责任形式而不是按照企业所有制性质来划分市场主体的法律，因此将本法的名称定为"独资企业法"是可行的（北京大学法律系副教授甘培忠）。

（二）有的部门提出，根据草案的说明，将有大批个体工商户纳入本法的调整范围，但从草案规定的企业设立条件来看，并没有把个体工商户与独资企业之间的界限划分清楚。因此，本法的调整范围实际很难掌握，建议对此作进一步研究（国务院法制办工交司司长胡可明）。有的专家建议，将所有个体工商户全部纳入本法调整范围（甘培忠）。

有的部门提出，草案第二条中的"自然人"包括外国人，但本法是否要将外国人在我国投资设立的独资企业纳入调整范围，应当予以明确（程秀生）；建议明确规定外商独资企业不适用本法（胡可明、清华大学法学院副教授施天涛）；建议对港、澳、台居民个人在大陆投资设立独资企业是否适用本法作出明确规定（国家工商局个体私营经济监管司正处级调研员胡晓凯）。建议参照公司法的有关规定，明确规定，外商独资企业适用本法，外资企业法另有规定的，从其规定（社科院法学所研究员崔勤之）。

（三）有的专家建议，将草案第二条修改为，本法所称独资企业，是指依照本法在中国境内设立，以营利为目的，由一个自然人投资，财产为投资人所有，投资人以其个人财产对企业债务承担无限责任的经济组织（甘培忠）；或者修改为，本法所称独资企业，是指依照本法在中国境内设立，由一个自然人投资，并以其个人财产对企业债务承担无限责任的营利性组织（崔勤之）。有的专家提出，独资企业与其投资人的人格不可分，独资企业的本质是业主企业，不是一个组织，本法对独资企业的组织机构也未作规定，因此建议将本条中的“营利性组织”改为“营利性主体”（史际春）。

二、关于独资企业的设立条件

草案第八条规定，设立独资企业应当具备下列条件：（一）有合法的企业名称；（二）有设立申请书；（三）有投资人申报的出资；（四）有固定的生产经营场所和必要的生产经营条件；（五）有必要的从业人员；（六）依照法律、行政法规建立企业的财务、会计制度。

一些部门和专家提出，向登记机关提交设立申请书是设立独资企业的一项程序，不是企业设立的条件，因此建议删去本条第（二）项关于设立申请书的规定（全国工商联法律部部长赵宏、陈丽洁、甘培忠、施天涛、崔勤之）。

有的部门、专家提出，由于独资企业的投资人对独资企业的债务承担无限责任，因此没有必要将投资人申报出资作为独资企业的设立条件，也没有必要对独资企业规定最低资本金的限制（宗锦耀、史际春）。有的部门、专家认为，本法并不是要将所有的个体工商户纳入其调整范围，因此需要对个体工商户和独资企业作出法律界定，而本条关于独资企业设立条件的规定界限比较模糊，实际很难掌握。因此，为了加强对独资企业与个体工商户的登记管理，应当对独资企业规定最低注册资本额的要求（胡晓凯、崔勤之）；建议按照独资企业的不同类别（如工矿企业、批发企业、咨询企业、零售企业等）规定 3 至 5 万元的最低注册资金要求（胡晓凯）。有的专家建议，将本条第（三）项修改为“有投资人实际缴付的出资”（施天涛、崔勤之）。

有些部门、专家提出，独资企业享有依法自主经营的权利，对其是否应“有必要的从业人员”不应加以限制。因此建议删去本条第（五）项的规定（宗锦耀、陈丽洁、史际春、崔勤之）。

有些部门、专家提出，财务会计制度是企业设立后才建立的，而不是设立时必须具备的条件，因此建议删去本条第（六）项的规定（陈丽洁、甘培忠、史际春、施天涛、崔勤之）；独资企业规模不大，投资人对企业债务承担无限责任，不一定要求建立财务会计制度（财政部条法司副处级调研员吴承明）。

有的部门、专家建议，在本条中增加一项规定，投资人应当具有完全民事行为能力（赵宏、施天涛）。

三、关于独资企业设立分支机构、分立和改变企业形式问题

（一）草案第十二条对独资企业设立分支机构作了规定。有的专家提出，独资企业设立分支机构，将增加企业的责任环节，是否有此必要应进一步研究（施天涛）。建议将草案第十二条删去（史际春）。有的部门和专家提出，独资企业为自身业务发展需要可以设立分支机构，但草案第十二条第二款和第三款的规定没有必要，建议删去（陈丽洁、崔勤之）。

（二）草案第十四条对独资企业分立和改变企业形式作了规定。有些部门和专家提出，独资企业的本质是业主制企业，规定其可以分立，在法理上有障碍。规定个人财产要作分割则不易理解，这有什么意义也难说。独资企业改变企业形式，可以依照其他有关市场主体的法律办理。对此本法可不作规定。因此建议将草案第十四条删去（最高人民法院经济厅副厅长孙华璞、施天涛）。如果要保留独资企业转变为其他企业形式的规定，应当对独资企业转变形式后，原债权债务如何处理作出具体规定（吴承明、甘培忠、崔勤之）。独资企业的分立合并在现实生活中是存在的，法律应对此作出规定（胡晓凯）。

四、关于独资企业职工权益的保护

有的部门提出，应当把对独资企业职工合法权益的保护作为

本法的立法宗旨之一，并建议将本法第一条“保护独资企业投资人和债权人的合法权益”一句，修改为“保护独资企业投资人、债权人和劳动者的合法权益”（江南）。

有的部门、专家建议，在本法中增加有关职工劳动权益保护和组织工会的规定（劳动和社会保障部杜刚、江南、胡晓凯、史际春）。有的部门提出，劳动权和结社权是企业职工的基本权利，目前独资企业违反国家劳动法律法规、不与职工签订劳动合同、不执行国家劳动标准、侵犯职工合法权益的现象比较严重。为了有效地保护职工的合法权益，建议在本法中增加以下规定：1. 在具备条件的独资企业中职工可以依法建立工会组织，工会依法开展活动，维护职工的合法权益。企业应当为本企业工会提供必要的活动条件；2. 独资企业雇用职工，应当依法与职工签订劳动合同；3. 工会有权就劳动报酬、工作时间、休息、休假、劳动安全卫生、保险福利等事项，代表职工与企业进行平等协商谈判和签订集体合同（江南）。建议增加规定，独资企业应当依法参加社会保险，缴纳社会保险费用（杜刚）。建议将草案第二十五条中的“劳动保险费用”改为“社会保险费用”（江南、杜刚）。

有的专家提出，本法不应当将有关独资企业的所有问题都作出规定，有些问题应当由专门法律来规定，独资企业组建工会问题应当由工会法来调整（甘培忠）。

五、关于独资企业的税负

草案第五条第二款规定，独资企业及其投资人应当依法纳税。有的部门提出，本款的表述容易引起要对独资企业征收企业所得税、对其投资人征收个人所得税，即双重征税的误解。建议研究修改（陈丽洁）。对这一规定建议保留（吴承明）。有的部门和专家提出，独资企业的税负问题应当由税法解决，建议将本款删去（孙华璞、施天涛、史际春）。

有的部门提出，根据现行法律的规定，对独资企业及其投资人分别征收企业所得税和个人所得税，对个体工商户只征收个人所得税，而根据本法的规定，将有大批个体工商户转为独资企业，将增加他们的税收负担。这是一个重大问题，建议再作慎重研究（胡可明）。

有的部门提出，根据企业所得税暂行条例的规定，企业所得税的纳税义务人是按照所有制形式来划分的，包括国有企业、集体企业、私营企业、联营企业、股份制企业及有生产、经营所得和其他所得的其他组织，独资企业包含在私营企业中；根据个人所得税法的规定，符合条件的个人所得和个体工商户的生产、经营所得应缴纳个人所得税，独资企业的投资人包括在内。但是由于目前对独资企业业主的个人所得很难掌握，实际只对独资企业征收一道企业所得税，今后如何征收，国家税务总局正在抓紧研究这一问题（国家税务总局法规司副司长马林）。

六、关于独资企业的解散、清算

草案第二十三条规定，独资企业解散，由投资人自行对债权债务进行清算。

有的部门提出，如果因违法经营被登记机关吊销营业执照，仍由投资人自行清算不合适，投资人死亡或者被宣告死亡，不可能再由其自行清算，建议对独资企业的解散、清算问题再作研究（胡可明、孙华璞）。对因违法经营被登记机关吊销营业执照的，应由行政机关组织清算，对投资人死亡的，应由继承人进行清算（史际春、施天涛）。投资人自行清算的，应当对清算期限及是否允许法院介入问题作出规定（施天涛、崔勤之）。

七、关于法律责任

有的部门和专家提出，法律责任一章对罚款处罚并未规定具体数额或者比例，实践中不好操作，建议加以补充（胡可明、施天涛、崔勤之）。

有的部门建议，在草案第四十条、第四十一条中增加将符合本法规定条件的独资企业登记为个体工商户的法律责任的规定（宗锦耀）。

有的部门建议，对强制独资企业提供财力、物力、人力，损害独资企业利益的行为增加法律责任的规定（孙华璞）。

有的部门建议，删去草案第三十六条中的“并处以罚款”一句（陈丽洁）。

八、其他意见

（一）建议在草案第四条中增加独资企业在其名称中不得使用“公司”字样的规定（甘培忠）；不应当限制独资企业在其名称中使用“公司”字样（史际春、施天涛）。建议增加规定，独资企业在其名称中必须标明“个体”字样（史际春）；或者“私人独资”字样（崔勤之）。

（二）我国个人财产大多是以家庭共有财产或者夫妻共有财产的形式存在的，草案规定独资企业的投资人以其个人财产对独资企业的债务承担无限责任，实践中如何区分个人财产与家庭共有财产、夫妻共有财产，操作起来有困难（程秀生、孙华璞）。

（三）草案并未对独资企业的财产予以限定，因此建议将草案第六条修改为“独资企业的合法权益受法律保护”（崔勤之）。

（四）草案对独资企业的设立没有提出具体的资本金要求。因此建议将草案第十条中关于应当提交“验资证明”的规定删去（陈丽洁、甘培忠）。建议对独资企业不得从事的业务进行列举，如金融、军工、航空等（史际春）。

（五）草案中“从业人员”一词含义不明确，建议改为“职工”（江南、杜刚）。

（六）建议将草案第十六条修改为“独资企业投资人对本企业的财产依法享有所有权，可以依法进行转让或继承”（陈丽洁、孙华璞、施天涛）。

（七）草案第十七条、第十八条对独资企业投资人与厂长、经理之间的关系规定得不清楚，建议再作研究（胡可明、孙华璞）。建议将这两条中的“委托”、“聘请”统一改为“聘任”（陈丽洁）。

（八）建议将草案第十七条第四款中的“不知情的善意第三人”修改为“善意第三人”（陈丽洁、崔勤之）。

（九）草案第十八条第（六）、（七）项有关限制同业竞争的规定，不应当适用于独资企业厂长（经理）之外的从业人员（施天涛）。建议将本条第（五）项修改为“擅自以企业的名义或者财产为本人或他人提供担保”（甘培忠）。

（十）草案第十九条关于独资企业用于年检的财务会计报告应经法定机构进行审计的规定，比对其他企业的要求还严厉，建议删去这一规定（陈丽洁、赵宏、甘培忠、史际春、施天涛、崔勤之）。

（十一）依法申请贷款、取得土地使用权等权利适用所有企业，因此建议将草案第二十条删去（赵宏、施天涛）。

（十二）建议将草案第二十四条中的“仍应承担连带责任”修改为“仍应继续清偿”（甘培忠）；或者修改为“仍应承担无限责任”（陈丽洁）。

（十三）根据后法优于前法的原理，本法施行前颁布的法律、行政法规与本法不一致的，当然适用本法，建议将草案第四十三条删去（陈丽洁、崔勤之）。本法将大部分个体工商户纳入其调整范围，并需按草案第四十四条的规定重新登记，工作量很大，是否可行，建议对这一问题再作研究（胡可明）。

（法制工作委员会经济法室整理）

各地方和中央有关部门对独资企业法(草案)的意见

九届全国人大常委会第九次会议对独资企业法(草案)进行初步审议后,全国人大法律委员会和全国人大常委会法制工作委员会将草案印发各地方和中央有关部门、有关单位以及一些高等院校、研究机构征求意见。中央有关部门和各地方普遍认为,为规范独资企业的行为,保护独资企业投资人及其债权人的合法权益,促进国民经济发展,完善我国市场主体立法,制定独资企业法是必要的。建议对草案作进一步修改后尽快颁布施行。有的地方、部门提出,本法应在有关独资企业的税收规定和鼓励促进政策出台之后,再出台(河南、珠海、司法部)。同时,对草案提出了一些具体修改意见和建议,现简报如下:

一、关于本法的名称、调整范围

许多地方和部门提出,独资企业按理应当包括国有独资企业、集体独资企业、外商独资企业及私营独资企业,如果本法只限于是规范我国公民一人投资并以其个人财产对企业债务承担无限责任的企业,则本法的名称与调整对象不一致,因此建议将本法名称改为"个人独资企业法"(贵州、北京、武汉、国务院发展研究中心);或者改为"公民独资企业法"(全国总工会);或者改为"私营独资企业法"(青海、大同、铁道部);或者改为"个人投资企业法"(辽宁)。

许多地方、部门提出,是否将外国人在我国投资设立的独资企业纳入本法调整范围,应当在草案中予以明确(河南、辽宁、青海、甘肃、武汉、国务院发展研究中心、上海市法学会、广东省法学会);建议明确规定外商独资企业不适用本法(对外贸易经济合作部、国务院法制办、中央政法委、国家税务总局、国务院参事室、新华社、广东、山西、湖北、浙江、上海、四川、海南、内蒙古、秦皇岛),或者将独资企业的投资人限定为“一个中国公民”(广西、黑龙江、宁波、湛江、中国建设银行、中国银行);建议明确规定,港、澳、台居民个人在大陆投资设立的独资企业不适用本法(湛江)。有的地方、部门提出,对外商独资企业应实行国民待遇,不应适用特殊政策。因此建议将外商独资企业纳入本法调整(重庆、国务院研究室)。

二、关于独资企业的设立登记

许多地方、部门提出,向登记机关提交设立申请书不是企业设立的条件,因此建议删去草案第八条第(二)项(广东、北京、重庆、贵州、厦门、国家林业局、全国工商联、广东省法学会)。

有的地方提出,投资人申请设立独资企业时,其申报的出资应当与所从事的生产经营需要的资金相适应,因此建议将第八条第(三)项修改为“有投资人申报的与其生产经营规模相适应的出资”(河南、北海)。有的地方建议,将第八条第(三)项修改为“有投资人实际缴付的出资”(宁波)。

有的地方建议,对独资企业从业人员的最低人数作出明确规定,否则在实践中登记部门很难操作(唐山);建议将独资企业从业人员的人数限定为五人以上(淮南、沈阳)。

许多地方、部门提出,财务会计制度是企业设立后才建立的,而不是设立时必须具备的条件,因此建议删去第八条第(六)项(浙江、青海、贵州、重庆、厦门、对外贸易经济合作部)。

一些地方、部门建议，在第八条中增加一项规定，投资人应当具有完全民事行为能力（河南、浙江、司法部、国务院机关事务管理局、全国工商联、上海市法学会）；建议增加一项兜底条款，即法律、法规规定的其他条件（南通）。

有的地方、部门提出，独资企业应当有自己的章程，以规范企业的内部行为。因此建议将有符合规定的章程作为独资企业设立应当具备的条件（广东、北海、司法部、全国工商联）。

草案第四条规定，独资企业在其名称中不得使用“有限”或“有限责任”字样。有的地方提出，草案仅规定独资企业在其名称中不得使用某些字样还不够，还应当明确独资企业在其名称中应当使用的字样（河南）。建议在本条中增加独资企业在其名称中不得使用“公司”字样的规定（山西）。

一些地方建议，在草案第九条中增加规定，独资企业设立申请书应当载明企业负责人的姓名和住所（重庆、安徽、唐山）。建议将本条第（四）项修改为“经营范围和期限”（宁波）。有的地方建议，在本条中对独资企业投资人的出资方式作出具体规定，并对各种出资方式的出资比例作出限制（安徽）。

一些地方、单位提出，草案对独资企业的设立没有提出具体的资本金要求。因此建议将草案第十条中关于应当提交“验资证明”的规定删去。（浙江、陕西、北京、新疆、哈尔滨、上海市法学会）。有的单位提出，虽然可以不要求独资企业投资人向登记机关提交“验资证明”，但应当要求投资人必须申报个人财产，提供个人财产清单（上海市法学会）。

草案第十一条规定，登记机关应当自收到设立申请书之日起30日内，作出是否登记的决定。有的地方提出，这一期限长了些，应当适当缩短（广东、江西）；建议将这一期限改为7日（全国工商联）；或者改为10日（温州）；或者改为15日（海南、沈阳、南通）。

三、关于独资企业设立分支机构、分立和改变企业形式

（一）有的地方提出，草案规定的独资企业的设立条件比较宽松，程序比较简便，投资人可以设立多个独资企业以满足扩大生产经营的需要，因此没有必要对独资企业设立分支机构作出规定（温州）。有的单位提出，允许独资企业设立分支机构，一是不便于管理，二是增加了交易相对人的风险，因此禁止独资企业设立分支机构为好（上海市法学会）。有的地方提出，独资企业设立分支机构，应当先向原登记机关提出申请，经批准后，再向拟设分支机构所在地的登记机关申请设立分支机构（哈尔滨）。

有的地方提出，独资企业设立分支机构以后，应当自己向登记机关备案，因此建议将草案第十二条第二款修改为，分支机构核准登记后，独资企业应当及时将登记情况报该独资企业的登记机关备案（淮南）。

有的地方建议，将草案第十二条第三款修改为："分支机构的民事责任由设立该分支机构的投资人承担"（河南）。

有的单位提出，独资企业为自身业务发展需要可以设立分支机构，但草案第十二条第二款和第三款的规定没有必要，建议删去（全国工商联）。

（二）有的地方提出，草案第十四条关于独资企业分立和改变企业形式的规定没有意义，建议将这一条删去（温州）。

一些部门、单位建议，在本条中对独资企业分立或者转变为其他企业形式的，原有债权债务如何处理作出规定（财政部、中国科协、中国银行、上海市法学会）。有的地方和单位建议增加规定，独资企业分立时应当通知债权人并进行公告，债权人在一定期限内要求独资企业清偿债务或者提供相应的担保。不清偿债务或者不提供相应的担保的，企业不得分立（安徽、交通银行）。

四、关于独资企业职工权益的保护

草案第七条规定,独资企业应当依法招用从业人员。从业人员的合法权益受法律保护。许多地方、部门和单位提出,草案对独资企业职工合法权益保护的规定过于原则。目前独资企业不与职工签订劳动合同、擅自延长工人劳动时间、克扣工人工资、不注意保护职工劳动安全等现象比较严重。为了有效地保护职工的合法权益,减少劳动纠纷,建议对独资企业职工权益保护增加更具体的规定:1. 独资企业雇用职工,应当依法与职工签订劳动合同(广东、秦皇岛、全国总工会、上海市法学会);2. 独资企业职工可以依法建立工会组织,工会依法开展活动,维护职工的合法权益(广东、河南、内蒙古、江西、秦皇岛、全国总工会);3. 工会有权就劳动报酬、工作时间、休息、休假、劳动安全卫生、保险福利等事项,代表职工与企业进行平等协商谈判和签订集体合同(全国总工会);4. 独资企业应当依法参加社会保险,缴纳社会保险费用(安徽、甘肃、江西、陕西、北海、劳动和社会保障部、上海市法学会);5. 独资企业应当加强劳动保护,实行安全生产(北海)。

五、关于独资企业的税负

许多地方、部门提出,根据现行有关的法律规定,个体工商户登记为独资企业后,要缴纳企业所得税,税收负担将增加,这必然使许多符合条件个体工商户不愿意登记为独资企业。因此建议本法对独资企业的税收问题只作原则规定,而在修改税法时对独资企业的税收作出更为合理的规定,以促进独资企业的发展(广东、湖南、厦门、国务院法制办、中国银行、新华社、国务院机关事务管理局、中央统战部)。

有的地方提出,草案第五条第二款“独资企业及其投资人应当依法纳税”的表述,给人以税收负担加重的感觉,可能影响投资者的积极性，建议在本法中明确规定对独资企业及其投资人只征收一次所得税（海南、甘肃、上海）。建议将本款修改为，独资企业应当依法纳税（司法部）。

六、关于独资企业的解散、清算

（一）草案第二十三条规定，独资企业解散，由投资人自行对债权债务进行清算。有的地方提出，上述规定缺乏应有的监督和制约，不利于保护债权人的利益，建议对这一问题再作研究（青海、宁波、国务院法制办）。有的部门建议，将上述规定修改为，独资企业解散，由投资人自行或者由人民法院指定清算人进行清算（交通部）。有的地方提出，独资企业解散，应当由投资人和债权人协商成立清算组织或者委托第三人进行清算（河南、贵州）；有的单位提出，应当由审计机构、会计师事务所等中介组织进行清算（上海市法学会）；有的地方提出，应当由登记机关或者登记机关指定的中介机构组织清算（洛阳）。有的地方提出，独资企业被依法吊销营业执照的，应当由有关主管部门组织有关机关、专业人员成立清算组，进行清算（贵州）。有的地方、单位建议增加有关行政部门或人民法院如何对清算工作进行监督的内容（湖北、无锡、中国银行）。有的地方、部门提出，投资人死亡或者被宣告死亡的，不可能再由投资人自行清算。建议对在此情况下由谁进行清算作出规定（安徽、国务院法制办、对外贸易经济合作部）。

（二）建议将草案第二十四条中的"仍应承担连带责任"修改为"仍应承担清偿责任"（广东、天津、湖北）；或者修改为"仍应承担无限责任"（广东、青海、贵州、四川、海南、中央政法委）；或者修改为"仍应承担偿还责任"（大连、中央统战部、上海市法学会）。建议将本条中的"但债权人在五年内未向债务人提出偿债要求的，该责任消灭"一句，修改为"但债权人在二年内未向债务人提出偿债要求的，该责任消灭"（湖北、山西、贵州、温州、洛阳、福州、厦门、中央统战部、中国银行、上海市法学会)；建议删去这一句(中央政法委)；建议将其中的“该责任消灭”修改为“其请求权消灭”(重庆)。

有的地方建议，在草案第二十六条中增加规定，独资企业解散前六个月内投资人不得转移个人财产(四川、安徽、宁夏)。建议将草案第二十七条修改为，独资企业财产不足以清偿债务的，投资人应当以除个人及其所抚养的人最低生活费用以外的个人其他财产予以清偿(河南)。

有的地方建议，增加有关因违法经营被吊销营业执照和破产的独资企业投资人若干年内不得从事生产经营活动的规定(贵州、上海)。

七、关于法律责任

许多地方和部门建议，对法律责任一章中的罚款处罚规定具体数额或者比例，以便于操作，减少处罚部门的随意性(广东、辽宁、海南、新疆、唐山、无锡、大连、沈阳、西安、国务院法制办、国家工商局、中央统战部、中国人民银行、上海市法学会)。建议对实施处罚的机关作出明确规定(辽宁、内蒙古、无锡、秦皇岛)。

建议将草案第二十九条中的“并处撤销企业登记”修改为“吊销营业执照”(贵州、重庆)。建议删去本条中的“虚报出资”几字(铁道部)。

有的地方建议对独资企业不依法建立会计账簿、编制财务报表的行为增加法律责任的规定(河南、重庆)。

一些地方、部门建议，对强制独资企业提供财力、物力、人力，损害独资企业利益的行为增加法律责任的规定(广东、湖南、贵州、四川、淮南、无锡、中国建设银行)。

一些地方建议，在草案第三十一条中增加规定，伪造营业执照，构成犯罪的，依法追究刑事责任(广东、浙江、安徽、大连)。

建议对应当办理注销登记而不办理的行为增加法律责任的规定（新疆）。

草案第三十五条规定，投资人委托的其他人员利用职务或者工作上的便利，索取或收受贿赂的，违法所得收归企业所有。有的地方和单位提出，上述规定不妥，违法所得应当予以没收（河南、广东、中国建设银行、交通银行）。

八、其他意见

（一）一些地方提出，目前很多独资企业名义上是个人投资，实际上是以家庭财产出资，或者虽以个人财产投资但家庭成员受益，如何区分独资企业是家庭财产还是个人财产出资，如何防止投资人转移财产以保护债权人的利益，应作进一步研究（河南、山西、浙江、吉林、福州）。建议对投资人的“个人财产”予以界定（陕西、中国科协）。

（二）建议将草案第十三条中的“应当在变更之日起的十五日内”修改为“应当在作出变更决定之日起十五日内”（上海）。

（三）建议在草案第十八条中增加规定，投资人委托的经理（厂长）不得擅自变更独资企业名称、转让独资企业的知识产权和不动产（云南）。

（四）草案第十九条规定，独资企业用于年检的财务会计报告应经法定机构进行审计。有的地方、部门提出，目前公司及其他企业用于年检的财务会计报告均不须经法定机构进行审计，为独资企业设定此项义务过于严厉，建议删去这一规定（重庆、哈尔滨、沈阳、珠海、全国工商联）。

（五）建议将草案第二十一条中的“财力、物力、人力”修改为“资金、劳务及其他财产”（大连）。建议在本条“独资企业有权拒绝”后增加“并可依法进行检举和控告”（湖南、四川）。

（六）一些地方提出，草案有关独资企业的权利的规定过于原则，建议单列一章对此作出更为具体的规定（河南、广东、湖北、陕西、广西、重庆）；建议增加规定，符合条件的独资企业享有进出口、发行企业债券等权利（内蒙古）。建议增加有关独资企业应承担的义务的规定，如不得生产销售假冒伪劣产品、保护和改善生态环境等等（江西、北海）。

（七）本法将大部分个体工商户纳入其调整范围，并需按草案第四十四条的规定重新登记，工作量很大，是否可行，建议对这一问题再作研究（国务院法制办）。

（法制工作委员会经济法室整理）

青岛市有关部门和一些独资企业投资人对独资企业法(草案)的意见

五月下旬,法制工作委员会副主任卞耀武带领经济法室的同志在青岛市就独资企业法(草案)进行调查研究,征求意见,分别邀请政府有关部门、有关单位和一些独资企业投资人进行座谈。在座谈中多数人认为,将自然人投资的独资企业作为市场主体的一种,与其他市场主体如公司、合伙企业联系起来考虑,立法加以规范、保护和促进其健康发展,在现实经济生活中是有必要的,希望独资企业法(草案)修改完善之后尽快出台。现将座谈会上提出的主要意见简报如下:

一、关于本法的名称和调整范围

青岛市政府法制局武洪玉、青岛市中级人民法院高益民、青岛市经贸委李文杰、青岛市地税局于敏之提出,按照草案第二条的规定,本法只调整由一个自然人投资设立的企业,并不包括国有独资企业等一些其他独资形式的企业,本法的名称与它的内容不相符。青岛市财经工作室凌邗江建议将法的名称改为“个人独资企业法”。青岛市副市长张先平认为,现在对独资企业有时都理解为是个体工商户、私营企业,有的也称为民营企业,确定法的名称也应考虑实际内容,建议对本法名称再作斟酌。

凌邗江、高益民、武洪玉认为,国有独资企业已由公司法调整,可以不受本法调整。比较难以处理的是外商独资企业,因为外商独资企业中有一种是由外国自然人投资设立的,与本法界定的独资企业难以区分,建议独资企业法应该明确本法不适用于外商独资企业。

二、关于独资企业职工权益的保护

青岛市中级人民法院阎春光、青岛市检察院杨维响提出,独资企业投资人与其职工之间劳资纠纷较多,建议在总则中明确规定,独资企业也要适用劳动关系方面的法律,同时增加调整劳动关系的条文,使处理独资企业劳动争议活动有法可依。青岛市劳动局单连高建议明确独资企业应当依法与职工签订劳动合同并交纳社会保险费。

青岛市总工会刘福英提出,在独资企业中,有关劳动时间、劳动报酬、安全卫生的问题相当多,有的还会导致矛盾激化,出人命官司,成为社会不安定因素。有些劳动合同只强制规定职工怎么办,体现不出保护职工权益。建议在独资企业法中明确工会组织的地位和开展活动的权利,需要规定,独资企业的企业职工可以依法成立工会组织,由工会代表独资企业职工,维护他们的合法权益,独资企业应当为职工工会开展活动提供条件。

青岛金勋实业有限公司经理金明男、青岛市新木槿花宾馆经理尹判烈、青岛英华综合经营部经理张崇欣反映,独资企业劳资关系不稳定,人员经常流动,有的人只干几天或者几个月,即使签订了劳动合同,执行得也不好,流于形式。

三、关于独资企业的无限责任

青岛市工商局袁德明、青岛市震东商场经理朱新民、尹判烈提出,在许多独资企业中,投资人的个人财产和家庭共有财产很难划分清楚,在申报登记独资企业时,有的用自己积蓄的资金出资,有的是向亲友借钱出资,也有很多是用家庭共有财产作为出资。独资企业成立后，投资人的生产经营资金与家庭用钱经常是混合在一起，也难分得很清楚。对于这些实际情况，在规定独资企业的责任时应当加以考虑。

高益民提出，草案第十六条对投资人转让财产权利作了规定，相应地也应当对这种权利有一定的限制，防止投资人损害债权人的利益。例如，投资人将独资企业的财产无偿赠与不与其共同生活的亲属或为他人的债务提供担保，这就会难以保护债权人的利益。因为虽然规定了投资人对债务承担无限责任，但如果他没有履行能力，责任也就落空。因此建议明确规定，凡以逃避债务为目的的转移财产行为一律无效，不论它是在清算前或者是清算期间。

四、关于独资企业的设立登记

凌邗江、袁德明、高益民、李文杰、武洪玉认为，草案第八条规定了设立独资企业的六个条件，有的比较虚，也比较原则，在今后的操作中要具体化才行。建议删去第八条第二项“有设立申请书”一项，因为有申请书并不是条件，只是程序性要求；删去第八条第六项关于建立财务、会计制度的规定，因为不是所有的独资企业能做到这一点，何况这又是一种日常经营管理的要求，在第十九条已有这样的内容。

李文杰、袁德明、高益民提出，对独资企业还是应该有一个出资最低限额的要求，比如“一万元”、“一千元”等等，有利于工商登记工作。

袁德明、朱新民、尹判烈、金明男提出，按照草案第十条的规定，申请设立独资企业，投资人还需要提供验资证明，这是不必要的。因为独资企业是承担无限责任的，一人单独投资，实际有多少资金在经营别人没法控制，控制了也没有什么实际意义，关键是无限责任。再说如果要办理验资手续，一是容易造成登记工作的期限拖长；二是花销太大，一次验资要三千元以上，投资人难以承受；

三是没有相应监督办法,同样流于形式。

五、关于独资企业的分立和转变企业形式

朱新民认为,草案第十四条的规定概念模糊,既然是一个自然人所投资开办的独资企业,责任也完全由投资人承担,就不应存在“分立”或者“转变为其他企业形式”的问题。对这一条规定应再予斟酌。

凌邗江、阎春光认为,企业分立与改制,直接牵扯到独资企业的债权人的利益,很可能出现独资企业的投资人利用改制达到逃避债务的目的,因此,应增加规定,独资企业进行分立或改制必须对分立或改制前的债务承担作出明确约定。改制,实际上是一种形式转变成其他企业形式,这个法律不用规定,改成什么形式,就由什么法律去管。

六、关于独资企业的事务管理

朱新民、尹判烈、金明南、青岛东方印社张蕾、青岛市华东机电站经理李传盛提出,现在的独资企业多数是小本经营,一般以投资人自己管理为主,有的是全家人一起干活,也有的是交给子女管理。由于财务会计制度需要专业知识,有的在一个月终了或一个季度终了时,临时请来外面的专业会计人员,帮忙理理账。有些服务性行业,如宾馆、饭店、印制社等根据工作需要,旺季雇人多一些,淡季则少雇一些,人员流动性较大,很难保证人员相对固定。独资企业投资人与其所聘用的人员之间,许多情况下只是口头协议的关系,聘请其他人担任经理的很少,有的指定了负责人,但也仅限于负责管理日常的小事,企业的事主要还是投资人说了算。因此,对独资企业内部事务管理要结合实际情况进行规定,有规范也要有灵活性。

七、关于法律责任

凌邗江提出，当事人索取或收受贿赂的应当由国家没收，而不应当归企业所有。建议对草案第三十五条的规定作相应修改。

武洪玉提出，法律责任一章对执法主体未作交代，建议增加。

杨维响提出，独资企业法草案中规定了多处罚款，但对情节、范围、数量都未明确，应增加规定。

八、其他意见

（一）阎春光认为，草案第五条对独资企业及其投资人应当依法纳税规定得不清楚，出现了独资企业和投资人二个纳税主体，有歧视性倾向，建议本法不写这些，留给税法去解决。

（二）金明南、张崇欣提出，应当明确独资企业能否作为“其他组织”与外商共同举办中外合资和中外合作企业，还应当明确什么样的独资企业能享有进出口权。

（三）阎春光提出，“善意”与“不知情”为同义语，应当删去草案第十七条第四款规定的“不知情的善意第三人”中的“不知情”一词。

（四）张先平建议，在草案第二十五条第三项清偿顺序中应加入“银行债务”，因为银行的钱是老百姓的，不能欠账不还。

（五）凌邗江建议，将草案第二十四条中的“连带责任”改为“偿还责任”。

（法制工作委员会经济法室整理）